# Elena Ferante

# Dani napuštenosti

ZA IZDAVAČA
Ivan Bevc
Nika Strugar Bevc

© za srpsko izdanje
**BOOKA**
11000 Beograd, Kapetan Mišina 8
office@booka.in
**www.booka.in**

PREVOD SA ITALIJANSKOG
Jelena Brborić

LEKTURA
Agencija Tekstogradnja

KOREKTURA
Jelena Petrović

PRELOM
Bodin Jovanović

DIZAJN KORICA
Monika Lang

ŠTAMPA
DMD Štamparija

Beograd, 2018.
Tiraž 1500

Knjiga **097**

ELENA FERANTE
**DANI NAPUŠTENOSTI**
Naslov originala
ELENA FERRANTE
**I GIORNI DELL'ABBANDONO**
Copyright © 2012 Edizioni e/o

**DANI NAPUŠTENOSTI**

ELENA FERANTE

# 1.

Jednog april... poslepodneva, odmah nakon ručka, muž mi je saopšti... me ostavlja. To mi je rekao dok smo raspremali sto, dok... se deca po običaju svađala u drugoj sobi a pas režao u... dremajući pored radijatora. Rekao mi je da je zbunjen, d... življava teške trenutke premorenosti, nezadovoljstva, pa čak i kukavičluka. Nadugo mi je govorio o našoj petna... dina braka, o našoj deci, i priznao da nema ništa da pr... ni meni ni njima. Sve vreme je ostao staložen, ako... narimo jedan mahinalni pokret desnom rukom dok m... detinjim izrazom lica objašnjavao da ga neki tihi glas, n... sta šapata, vuče ka nečemu drugom. Potom je preuze... be krivicu za sve što nam se događa i brižljivo zatvor... na vrata za sobom ostavivši me skamenjenu pored su...

Tu no... provela u razmišljanju, neutešna u velikom bračnom... u. Koliko god da sam detaljno preispitivala naš o... je mi polazilo za rukom da pronađem prave znake... pro sam ga poznavala, znala sam da je čovek tihih o... da su mu naši porodični rituali neophodni.

Razgovarali smo o svemu, i dalje smo uživali u tome da se privijamo jedno uz drugo i da se ljubimo, ponekad je bio tako zabavan da me je zasmejavao do suza. Dolovalo mi je nemoguće da zaista želi da ode. Kada se poto prisetih da sa sobom nije poneo ništa do čega mu je bilo alo i da se nije ni pozdravio s decom, ubedih sebe da se ne ri ni o čemu ozbiljnom. Da jednostavno proživljava jedan onih trenutaka opisanih u romanima, kada glavni junak nekad prenagljeno odreaguje na sasvim prirodno neza oljstvo životom.

Uostalom, nije to bio prvi put da mu sto nešto dogodilo, počeh da se prisećam vremena i deta remećući se po krevetu. Mnogo godina ranije, kada smo zajedno tek šest meseci, jednom prilikom mi je iz vedra n nakon poljupca, rekao da misli da treba da prestanemo da đamo. Bila sam zaljubljena u njega, čuvši te reči osetila kako mi se krv ledi u žilama, kako me obliva hladan zno mi je hladno, on je otišao ostavivši me samu ispod kan zidina zamka Sant Elmo da posmatram grad i more be Međutim, pet dana kasnije, pozvao me je telefonom p ljen, počeo je da se pravda, rekao mi je da je prošao anje nervnog rastrojstva. Taj njegov izraz mi se urezao nje, dugo sam o njemu razmišljala.

Njime se ponovo poslužio i mnogo vr kasnije, pre nešto manje od pet godina. U to vreme viđali s jednom njegovom koleginicom s fakulteta om Đinom, izrazito učenom i inteligentnom ženom i obrostojeće porodice, koja nedavno beše ostala udov naestogodišnjom kćerkom. Samo što smo se pres rino, a ona nam je pomogla da u novom gradu nađemo lep stan s pogledom na reku. Grad mi se isprva nije svideo, delovao mi je kao sav od metala, ali ubrzo sam primetila da se s našeg balkona sa uživanjem može posmatrati smena godišnjih doba: u jesen sam gledala kako zelenilo Parka Valentino poprima žutu i crvenu boju, kako lišće pod naletima vetra šiba kroz zamagljen vazduh, kako pluta po sivkastoj površini reke Po. U proleće je s reke dopirao povetarac čija je svežina udahnjivala život novim pupoljcima, koji je njihao grane drveća.

Brzo sam se prilagodila i zahvaljujući tome što su kako majka tako i kćerka davale sve od sebe da mi ublaže svaku nelagodu, što su mi pomogle da upoznam okolne ulice, što su me vodile sa sobom po radnjama ukazujući mi na trgovce vredne poverenja. Bile su to pak dvosmislene ljubaznosti. Ja lično bila sam sasvim ubeđena da je Đina zaljubljena u Marija, previše se prenemagala u njegovom prisustvu, često sam ga zbog toga otvoreno zadirkivala, govorila sam mu: zvala je tvoja devojka. On se od toga ograđivao nehajnim pokretom ruke, smejali smo se zajedno, ali se u međuvremenu naš odnos s tom ženom sve više učvršćivao, nije se dešavalo da prođe ni jedan jedini dan a da se ne javi. Čas bi ga zamolila da pođe s njom negde, čas je kao izgovor navodila što kćerka Karla ne ume da reši nekakav zadatak iz hemije, čas joj je bila potrebna njegova pomoć da pronađe neku knjigu koje više nije bilo u prodaji.

S druge strane, Đina je prema nama bila veoma velikodušna, stalno se pojavljivala s poklončićima za mene i za decu, pozajmljivala mi je svoj automobilčić, često nam je davala

ključeve svoje kuće u blizini Kjeraska kako bismo tamo pro-
veli vikend. Mi smo njene ljubaznosti rado prihvatali, u nje-
noj kući nam je bilo lepo, iako je uvek postojao rizik da će se
majka i kćerka iznenada pojaviti unevši nered u naše poro-
dične navike. Uostalom, na uslugu je trebalo odgovoriti uslu-
gom, i te ljubaznosti polako se pretvoriše u okove kojima nas
zarobiše. Mario je malo-pomalo preuzeo na sebe ulogu devoj-
čicinog staratelja, išao je na razgovore s njenim nastavnici-
ma kao da zamenjuje preminulog oca, i mada je bio zatrpan
poslom, u izvesnom trenutku se osetio čak u obavezi i da joj
daje privatne časove iz hemije. Šta sam ja tu mogla? Neko
vreme sam se trudila da udovicu držim na odstojanju, sve
mi se manje sviđalo kako uzima mog muža podruku i kako
mu šapuće na uvo smejući se veselo. Potom mi jednog dana
sve posta jasno. S praga kuhinje videh kako mala Karla, na-
kon jednog od njihovih privatnih časova iz hemije, umesto u
obraz, ljubi Marija u usta. Iznenada sam shvatila da ona koja
treba da me brine nije majka već kćerka. Devojčica je, možda
i nesvesno, na mom mužu isprobavala zavodljivost svog vrca-
vog tela i nemirnih očiju, a on ju je gledao poput čoveka koji
iz duboke senke posmatra beo zid obasjan sunčevim zracima.

Poveli smo raspravu o tome, ali smireno. Mrzela sam povi-
šene glasove i prenaglašene pokrete. Poticala sam iz porodi-
ce koja je o emocijama raspravljala previše bučno i javno, a
ja sam, naročito u pubertetu, čak i kada sam pokrivajući uši
rukama nemo sedela u kakvom ćošku porodične kuće u Na-
pulju, potiskujući zvuke glasnog saobraćaja koji su dopirali iz
Ulice Salvator Roza, osećala da je život previše bučan i imala

utisak da će se sve oko mene raspasti zbog kakve oštre rečenice, zbog kakvog neodmerenog pokreta. Zbog toga sam kasnije naučila da govorim malo i promišljeno, da nikad ne žurim, da ne trčim čak ni kako bih uhvatila autobus, da sebi priuštim što više vremena za razmišljanje pre bilo kakve reakcije, da to vreme ispunim zbunjenim pogledima i nesigurnim osmesima. Posao me je naknadno dodatno disciplinovao. Rodni grad bejah napustila bez namere da se u njega ikada vratim, i provela sam dve godine u odeljenju za prijem žalbi jedne avio-kompanije u Rimu sve dok, nakon udaje, nisam dala otkaz kako bih sledila Marija po svetu, gde god je njega vodio posao inženjera. Nova mesta, novi život. I kako bih držala pod kontrolom teskobu izazvanu neprestanim promenama, navikla sam sebe da uvek sačekam da se svaka emocija primiri i nađe način da se izrazi smirenim tonom, zadržavala sam ih u sebi kako ne bih pravila scene.

Ta moja samodisciplina pokazala se od neprocenjive važnosti tokom naše male bračne krize. Proveli smo brojne noći suočavajući se smireno i tihim glasom, kako nas deca ne bi čula, kako bismo izbegli da jedno drugom oštrim rečima zadamo neizlečive rane. Mario je bio neodređen poput pacijenta koji ne ume jasno da navede svoje simptome, ni u jednom trenutku nije mi pošlo za rukom da ga navedem da kaže kako se oseća, šta želi, šta mogu da očekujem. Potom se jednog poslepodneva vratio s posla, po izrazu lica videlo se da je uplašen, ili to možda nije bio njegov strah već samo odraz straha koji je pročitao na mome licu. Činjenica je da je otvorio usta da mi kaže jedno, i da je u trenu odlučio da izgovori nešto drugo. Ja sam to primetila, činilo mi se da vidim kako mu reči menjaju oblik u ustima ali sam se naterala da savladam radoznalost, da ga ne upitam od kakvih je to reči odustao. Bilo mi je dovoljno da znam da je taj ružan period završen, da se radilo samo o kratkotrajnoj vrtoglavici. O kratkom nervnom rastrojstvu, kako mi je i sam objasnio, ponovivši izraz od pre mnogo godina, pridajući mu veliki značaj. Beše ga obuzelo oduzevši mu sposobnost da vidi i čuje, sad je pak bilo dosta, nije više osećao nikakve smetnje. Već narednog dana prestade da se viđa kako s Karlom tako i s Đinom, prekinu časove hemije, ponovo postade onaj stari.

To su bili malobrojni i beznačajni problemi s kojima smo se suočili u našoj vezi, a te noći sam ih pažljivo razmotrila. Potom ustadoh iz kreveta, ozlojeđena što mi san ne dolazi na oči, i spremih sebi čaj od kamilice. Mario je jednostavno takav, rekoh sebi: miruje godinama, bez ikakvih smetnji, a onda ga iznenada nešto poremeti bez očiglednog uzroka. I sada se dogodilo isto, nešto ga je uznemirilo, ali nema razloga za brigu, biće dovoljno da mu dam malo vremena da se povrati. Dugo sam ostala da stojim pored prozora koji je gledao na mračan park pokušavajući da ublažim glavobolju čela naslonjenog na hladno staklo. Prenuh se tek na zvuk parkiranja automobila ispred zgrade. Pogledah kroz prozor, ali to nije bio moj muž. Videh muzičara sa četvrtog sprata, izvesnog Karana, kako se približava zgradi pognute glave, noseći na leđima veliku kutiju ko zna kakvog instrumenta. Kada zamače među drveće pred zgradom, ugasih svetlo i vratih se u krevet. Bilo je samo pitanje dana, a potom će opet sve doći na svoje mesto.

## 2.

Prođe nedelju dana, a moj muž ne samo da je nastavio da se drži svoje odluke nego ju je i dodatno učvrstio s nemilosrdnom promišljenošću.

Isprva je kući dolazio svakog dana, uvek u isto vreme, oko četiri posle podne. Provodio je nešto vremena s naše dvoje dece, ćaskao je s Đanijem, igrao se sa Ilarijom, ponekad su sve troje izvodili u šetnju našeg dobroćudnog vučjaka Ota, išli su s njim u park da bacaju štapove i teniske loptice za kojima je on jurio.

Ja sam se pretvarala da imam posla u kuhinji ali sam zabrinuto čekala da Mario dođe i saopšti mi svoje namere, da mi kaže je li uspeo da razmrsi zamršeno klupko koje mu se beše stvorilo u glavi. On je dolazio, pre ili kasnije, ali svakoga dana sa sve očiglednijom nelagodom protiv koje sam se ja borila sledeći strategiju koju bejah osmislila u besanim noćima, predočavajući mu prednosti porodičnog života, pokazujući razumevanje i blagost, kojima sam ponekad dodavala i pokoju veselu dosetku. Mario je odmahivao glavom, govorio mi da sam previše dobra prema njemu. Pokazivala sam ganutost, grlila sam ga, pokušavala sam da ga poljubim. On se povlačio. Došao je – isticao mi je – samo da razgovaramo, želeo je da mi objasni s kakvim sam to čovekom provela petnaest godina života. I stoga mi je prepričavao okrutne uspomene iz detinjstva, počinjena ružna dela, nemire iz rane mladosti. Želeo je samo samog sebe da unizi, šta god da sam odgovarala kako bih umirila tu njegovu potrebu da sebe predstavlja u najgorem mogućem svetlu, nisam uspevala da ga ubedim, želeo je da ga po svaku cenu sagledam onakvog kakav je tvrdio da jeste: kao nesposobnjakovića koji ne zna šta su iskrena osećanja, čoveka osrednjih sposobnosti koji ne zna šta želi već pušta da ga vetar nosi, kako na privatnom tako i na poslovnom planu.

Pažljivo sam ga slušala, odgovarala sam staloženo, nisam mu postavljala pitanja niti postavljala ultimatume, trudila sam se samo da mu stavim do znanja da će uvek moći da računa na mene. Moram, međutim, priznati da su, iza tog privida, u meni narastali teskoba i bes koji su me plašili. Jedne noći na pamet mi pade mračna figura iz mog napolitanskog detinjstva, jedna krupna energična žena koja je živela u našoj zgradi, iza Trga Macini. Sa sobom je uvek vukla, idući u nabavku, prolazeći ulicama punim sveta, svoje troje dece. Vraćala se ruku punih povrća, voća, hleba i s troje dece koja su joj se držala za suknju i za prepune kese, njima je upravljala veselo cokćući i uz malo reči. Ukoliko bi me videla kako se igram na stepeništu, zaustavljala se, spuštala je svoj teret i zavlačila ruke u džepove iz kojih je vadila karamele koje je delila meni, mojim drugovima i svojoj deci. Po njenom izgledu i ponašanju moglo se zaključiti da je u pitanju žena zadovoljna mukama koje joj je život dodelio, oko sebe je širila prijatan miris, poput sveže oprane tkanine. Bila je udata za čoveka abrucoškog porekla, riđe kose, zelenih očiju, koji je radio kao trgovački putnik, pa je često putovao automobilom između Napulja i Akvile. Njega se danas sećam samo po tome što se mnogo znojio, lice mu je uvek bilo crveno i upaljeno kao usled kakve bolesti, i po tome što se ponekad igrao s decom na balkonu, praveći šarene zastavice od hartije. Igru su prekidali tek kad bi žena počela veselo da ih doziva da uđu na ručak. Potom se između njih nešto pokvarilo. Nakon silne vike, koja me je često budila u pô noći, i od koje kao da su se tresli zidovi zgrade, kao da je podrhtavala čitava ulica, nakon urlika i plača koji su dopirali do samog trga i palmi čiji su dugi povijeni listovi podrhtavali kao od straha, on ju je ostavio zbog neke žene iz Peskare, i niko od nas ga nikad više nije video. Od tog dana, naša komšinica je počela da plače svake noći. Ležeći u svom krevetu, slušala sam njene glasne jecaje, neku vrstu hropca poput udara u zid, koji su me ostavljali prestrašenu. Moja majka je o njoj razgovarala sa svojim radnicama, sekle su tkaninu, šile i pričale, pričale, šile i sekle, dok sam se ja igrala ispod stola špenadlama i kredama, i ponavljala u sebi sve ono što sam čula, setne i preteće reči: kad ne umeš da zadržiš svog muškarca, ostaneš bez ičega, ženske priče o minulim osećanjima, šta se događa kad ostanemo napuštene, željne ljubavi, bez ičega. Ta žena je izgubila sve, čak i ime (čini mi se da se zvala Emilija), za sve nas postala je *sirotica*, o njoj smo govorili tako je nazivajući. Sirotica je plakala, sirotica je vikala, sirotica je patila, razdirana odlaskom znojavog riđeg muškarca i njegovih prevrtljivih zelenih očiju. Stiskala je u šakama vlažnu maramicu, govorila je svima da ju je muž napustio, da ju je izbrisao iz sećanja i svesti, uvrtala je maramicu i proklinjala muškarca koji joj je umakao poput pohotne životinje ka brdu Vomero. Tako upadljiv bol ubrzo je počeo da mi se gadi. Imala sam osam godina, a već sam je se stidela, nije više sa sobom vodila decu, nije više lepo mirisala. Sada se stepenicama pela tromo, ispijenog tela. Grudi, kukovi i bedra behu joj izgubili punoću, s lica joj behu nestali veselost i radostan osmeh. Beše se pretvorila u kost i kožu, oči kao da su se povukle u plavičaste bunare, ruke joj behu postale vlažna paučina. Jednom prilikom moja majka uzviknu: sirotica, postala je poput usoljene sardele! Od tada počeh da je pratim pogledom svaki put kad je izlazila iz zgrade bez cegera, prazna pogleda i nesigurna koraka. Želela sam da proučim novu prirodu sivkastoplave ribe, zrnca soli koja su joj se caklila na rukama i nogama.

Pomalo i zbog tog sećanja, prema Mariju nastavih da se ophodim nežno i razborito. Međutim, nakon nekog vremena nisam više znala kako da odgovorim na njegovo preuveličavanje priča o mladalačkim neurozama i patnji. U roku od deset dana, videvši da čak i posete deci počinju da se proređuju, osetih kako u meni narasta teška ogorčenost, kojoj se u izvesnom trenutku pridružila i sumnja da me laže. Počeh da uviđam da dok mu ja smišljeno ističem sve svoje vrline zaljubljene žene spremne da mu na svaki mogući način pruži podršku dok prolazi kroz mračnu krizu, on s podjednakom proračunatošću pokušava da mi se ogadi, kao da pokušava da me navede da ja budem ta koja će reći: odlazi, gadiš mi se, ne mogu više da te podnesem.

Sumnja se ubrzo pretvorila u izvesnost. Želeo je da mi pomogne da prihvatim neophodnost naše rastave, želeo je da ja budem ta koja će reći: u pravu si, među nama je sve gotovo. Pa ipak, ni tada ne odreagovah neuravnoteženo. Nastavih da postupam bojažljivo, kao što sam uvek činila suočena sa životnim nezgodama. Jedini uočljiv znak pometenosti postala je sklonost ka neredu i tromost prstiju koji su, što je teskoba u meni više narastala, sve slabije stezali predmete.

Skoro dve nedelje ne postavih mu pitanje koje mi je od samog početka bilo navrh jezika. Tek kad više nisam mogla da podnesem njegove laži, odlučih da ga sateram do zida. Spremih sos sa ćuftama, koji mu se mnogo sviđao, nasekoh krompir da ga, s ruzmarinom, ispečem u rerni. Međutim, nisam kuvala sa uživanjem, bila sam bezvoljna, posekoh se na otvarač konzervi, kroz ruke mi skliznu boca vina, staklo i vino se razleteše na sve strane, čak i po belim zidovima. Odmah potom, previše naglim pokretom, kojim sam htela da uzmem krpu, oborih i posudu sa šećerom. Na nekoliko dugih trenutaka u ušima mi je dobovao zvuk slapa kristalića šećera, koji padaju na mermernu kuhinjsku ploču, a potom na pod obliven vinom. Obuze me takav osećaj premorenosti da ostavih sve u neredu i pođoh u krevet, zaboravivši na decu, zaboravivši na sve, iako je bilo jedanaest sati izjutra. Nakon što sam se probudila, dok mi se moje novo stanje napuštene žene vraćalo u misli, odlučih da ne mogu više ovako. Pridigoh se ošamućeno, dovedoh kuhinju u red, odjurih da uzmem decu iz škole i sedoh da ga čekam, da proviri u kuću deci za ljubav.

Stigao je uveče, učini mi se da je dobro raspoložen. Razmenio je sa mnom par ljubaznosti, a potom se povuče u dečju sobu i ostade tamo sve dok se deca nisu uspavala. Kada je izašao, primetih da se sprema da šmugne ali nateráh ga da sedne da večera sa mnom, poturih mu pod nos šerpu sa sosom koji bejah spremila, ćufte, krompiriće i preko vrelih makarona prelih debeo sloj tamnocrvenog sosa. Želela sam da u tom jelu vidi sve ono što, ukoliko ode, nikad više neće imati priliku da vidi, okusi, pomiluje, čuje niti omiriše: nikad više. Međutim, nisam više mogla da čekam. I ne počesmo da jedemo, kad ga upitah:

„Jesi li se zaljubio u neku drugu ženu?"

Osmehnu se i dobroćudno odmahnu glavom, pokazujući ravnodušno čuđenje pred tim mojim neumesnim pitanjem. Međutim, nije me ubedio. Dobro sam ga poznavala, tako se ponašao samo kad laže, obično je osećao nelagodu pred bilo kakvim direktnim pitanjem. Nastavih:

„Postoji, zar ne? Postoji druga žena. Ko je ona, poznajem li je?"

Potom, prvi put otkad je počela cela ta priča, povisih glas, povikah mu da imam pravo da znam, rekoh mu čak i:

„Ne možeš da me ostaviš da se ovde nadam, kad si, zapravo, ti sâm o svemu već odlučio!"

On obori pogled, nervozan, dade mi znak rukom da spustim glas. Sada je bio vidno zabrinut, možda se plašio da će se deca probuditi. Meni se, međutim, kovitlalo u glavi sve ono što sam se dugo suzdržavala da mu prebacim, nisam više bila u stanju da napravim razliku između onoga što treba reći i onoga što treba prećutati.

„Ne želim da spustim glas", prosiktah, „hoću da svi znaju šta si mi učinio!"

On je zurio u tanjir, potom me pogleda pravo u oči i reče:

„U pravu si, postoji druga žena."

A zatim, sa sasvim neumesnim poletom, nabode makarone viljuškom i ubaci ih u usta, kao da time želi sam sebe da ućutka, da ne bi kazao više nego što je neophodno. Međutim, ono najbitnije već beše izgovorio, odlučio se da mi kaže, i sad sam u grudima osećala bol koji me je lišavao svih drugih osećanja. Toga postadoh svesna tek kad primetih da ne reagujem na ono što se događalo pred mojim očima.

Beše počeo da žvaće hranu sa uobičajenom metodičnošću kada mu iznenada nešto zakrcka u ustima. Prestade da žvaće, ispusti viljušku u tanjir, ispusti jauk. Ispljunu na dlan ruke zalogaj, pastu, sos i krv, da, upravo krv, tamnocrvenu krv.

Bez ikakvih emocija sam posmatrala njegova okrvavljena usta, kao da gledam kakav slajd na projektoru. On, razrogačenih očiju, obrisa usne maramicom, zavuče prste u usta i izvuče iz nepca komad stakla.

Posmatrao ga je užasnuto, potom mi ga pokaza i zaurla, sasvim van sebe, s mržnjom na koju ga do tog časa nisam smatrala sposobnim:

„Ovako? Ovo želiš da mi uradiš? Ovo?“

Poskoči na noge, obori stolicu, pridiže je i tresnu je nekoliko puta o pod, kao da hoće da je zabode u njega. Reče mi da sam nerazumna žena, nesposobna da shvatim njegove razloge. Da ga nikad, ama baš nikad nisam razumela i da smo samo zahvaljujući njegovom strpljenju ili možda kukavičluku ostali zajedno koliko jesmo. Da je sada, međutim, dosta. Povika da ga plašim, kako mi je samo palo na pamet da mu stavim staklo u hranu, kako sam mogla, pa ja nisam normalna. Izađe zalupivši vrata za sobom, ne obazirući se na usnulu decu.

## 3.

Ostadoh za stolom još neko vreme, nisam uspevala da razmišljam ni o čemu drugom osim o tome da Mario ima drugu, da se zaljubio u neku drugu ženu, da mi je to priznao. Potom se pridigoh i počeh da raspremam sto. Na maramici videh krhotinu umrljanu krvlju, počeh da pipam prstima po sosu i izvukoh još dva komadića flaše koja mi tog jutra beše ispala iz ruku. Nisam više mogla da se suzdržim, briznuh u plač. Kada sam se smirila, bacih sos u đubre, a potom dođe Oto i poče tiho da zavija. Uzeh povodac i izađosmo. Mali trg je u to doba dana bio sasvim pust, svetlost uličnih lampi obasjavala je krošnje drveća, oko mene su se uzdizale senke koje su mi prizvale u misli detinje strahove. Obično je Mario bio taj koji je izvodio psa u šetnju, činio je to uveče, između jedanaest sati i ponoći, ali otkad je otišao i ta je obaveza pala na moja pleća. Deca, pas, kupovina, ručak i večera, novac. Sve mi je ukazivalo na praktične posledice napuštenosti. Moj muž je prestao da misli na mene i da me želi, njegove misli i želje sada su pripadale nekoj drugoj. Odsad će biti tako, odgovornosti koje smo delili popola sada su samo moje.

Treba da odreagujem, da se organizujem.

Ne popuštaj, rekoh sebi, nemoj da prenagljuješ.

Ako on već voli neku drugu, šta god ti uradila ničemu neće poslužiti, on to neće ni primetiti, neće na njega uopšte uticati. Potisni bol, ne čini ništa u tom smislu, ne urlaj. Pomiri se s tim da je promenio misli, promenio je sobu, otišao je da se sjedinjuje s nekim drugim telom. Ne ponašaj se poput sirotice, ne dopusti da sveneš prolivajući suze. Ne dozvoli sebi da ličis na žene iz one knjige koju si u mladosti pročitala.

Korice knjige sam se sećala do najsitnijeg detalja. Dala mi ju je na čitanje moja nastavnica francuskog kada sam joj s prenaglašenim poletom, s naivnom strašću, rekla da želim da pišem knjige, bilo je to 1978. godine, od tada beše prošlo više od dvadeset godina. „Pročitaj ovo", beše mi rekla, i ja sam je marljivo poslušala. Međutim, kada sam joj vratila knjigu, izgovorila sam oholu rečenicu: *Ove žene su glupe.* Učene gospođe, dobrostojećih prilika, koje se lome poput igračaka pod prstima svojih nehajnih muškaraca. Njihova sentimentalnost delovala mi je glupo, ja sam želela da budem drugačija, želela sam da pišem o snalažljivim ženama, ženama koje su nepobedive u svojoj razboritosti, a ne kakav priručnik za napuštene žene kojima je izgubljena ljubav jedina misao. Bila sam mlada, imala sam velika očekivanja. Nisu mi se sviđale zatvorene stranice, poput spuštenih šalona. Sviđala mi se svetlost, vazduh koji se provlači kroz daščice. Želela sam da pišem priče pune dašaka vetra i sunčevih zraka na kojima trepere čestice prašine. Volela sam knjige koje su mi davale osećaj da me svaki redak navodi da se nagnem kako bih videla šta se tu dešava i osetila vrtoglavicu zbog ambisa, crnila pakla. Rekla sam joj to zadihano, u jednom dahu, kao što nikad nisam činila, a nastavnica mi se ironično osmehnula, pomalo kiselo. Mora da i ona beše izgubila nekoga ili nešto. A sada, dvadeset godina kasnije, isto se događalo i meni. Gubila sam Marija, možda sam ga već bespovratno izgubila. Hodala sam napeto iza nestrpljivog Ota, osećala sam vlažni dašak koji je dolazio sa reke i hladan asfalt kroz đonove cipela.

Nisam uspevala da se smirim. Kako je moguće da me je Mario ostavio, tako iz čista mira? Činilo mi se sasvim nelogičnim da je iz vedra neba izgubio interesovanje za moj život, kao da se radi o biljci koju je zalivao godinama kako bi je potom ostavio da uvene i umre. Nije mi bilo jasno kako je mogao jednostrano da odluči da mi više ne duguje pažnju. Pre dve godine bila sam mu rekla da želim nešto vremena za sebe, za posao koji će zahtevati da izvestan broj sati provodim van kuće. Našla sam posao u jednoj maloj izdavačkoj kući, bila sam uzbuđena, ali me je on naveo da od posla odustanem. Iako sam mu rekla da mi je potrebno da i sama zarađujem, makar se radilo o maloj, beznačajnoj sumi, on se s tim nije složio, rekao mi je: zašto baš sada, najgore je prošlo, novac nam nije potreban, ti želiš ponovo da pišeš, posveti se tome. Poslušala sa ga, dala sam otkaz nakon dva meseca i prvi put sam uzela spremačicu da mi pomaže u kućnim poslovima. Međutim, nisam bila u stanju da pišem, traćila sam vreme na umišljene i konfuzne pokušaje. Posmatrala sam obeshrabreno ženu koja mi je čistila stan, jednu ponositu Ruskinju, neradu da sluša kritike i prekore. Nije, dakle, imalo nikakvog smisla nastaviti, od pisanja neće biti ništa, u pitanju su bile samo mladalačke ambicije koje su mi se cepale pod prstima poput iznošene tkanine. Otpustila sam spremačicu, nisam mogla da podnesem da radi umesto mene kad slobodno vreme nisam uspevala da pretvorim u trenutke radosne kreativnosti. I tako sam nastavila da se staram o kući, o deci, o Mariju, kao da sam time samoj sebi poručivala da ništa drugo i ne zaslužujem. Evo, međutim, šta sam zaslužila. Da moj muž nađe drugu ženu. Osetih kako mi se oči pune suzama, ali ne zaplakah. Treba da se pokažem izdržljivom, da to zaista i budem. Treba dobro da se pokažem. Samo ću tako, kad sebi nametnem tu obavezu, uspeti da se spasem.

Pustih napokon Ota s povoca i sedoh na jednu klupicu drhteći od hladnoće. Prisetih se rečenica iz te knjige koje svojevremeno bejah naučila napamet: ja ne igram prljavu igru, igram otvorenih karata. Ne, rekoh sebi, to su tvrdnje koje vode u propast. Uvek treba postaviti granice, ne smem to nikad da zaboravim. Onaj ko izgovara slične reči već je prešao crtu i oseća potrebu da samog sebe hvali, i zato je tako blizu toga da izgubi sebe. Zatim: sve žene su vlažne, osećaju ko zna šta zato što se njemu diže. Kao devojčici mi se sviđao vulgaran jezik, pružao mi je osećaj muške slobode. Sad sam već znala da opscenosti mogu da pokrenu varnice ludila ukoliko skliznu sa dobro kontrolisanih usana poput mojih. Zatvorih oči, obuhvatih glavu dlanovima, stisnuh slepoočnice. Mariova žena. Zamislih je u zrelim godinama, sa zadignutom suknjom, u kupatilu, dok se on pribija uz nju, dok joj stiska oznojene guzove i gura prste u zadnjicu, pod po kome se razliva sperma. Ne, moram da prestanem. Ustadoh iznenada, zazviždah, da dozovem Ota, onako kako me je naučio Mario. Moram da oteram od sebe takve prizore, takav jezik. Da prestanem da razmišljam o slomljenim ženama. Dok je Oto jurio tamo-amo, pažljivo birajući gde da se popiški, osetih po čitavom telu rane od seksualne odbačenosti, opasnost da se

udavim u preziru prema samoj sebi i u čežnji za njim. Pridi-
goh se i krenuh nazad, nastavljajući da zviždim u iščekivanju
Otovog povratka.

Ne znam koliko je vremena prošlo, zaboravih na psa, za-
boravih gde se nalazim. Skliznuh neprimetno u sećanja na
ljubavne trenutke s Mariom, učinih to sa slašću, uz blago uz-
buđenje i uz ogorčenost. Iz tih misli se prenuh na zvuk sop-
stvenog glasa, ponavljala sam sebi poput kakve mantre: „Ja
sam lepa, ja sam lepa". Potom ugledah Karana, našeg komšiju
muzičara, kako dolazi putem i prelazi trg, kako korača ka ula-
znim vratima.

Poguren, dugih nogu, opterećen instrumentom koji je nosio
na leđima, prođe na sto metara od mene, a ja se ponadah da
me neće primetiti. On je spadao u onu vrstu stidljivih mu-
škaraca koji ne znaju za meru u odnosu sa drugima, koji kad
izgube smirenost sasvim gube kontrolu nad sobom, a kad su
nežni postaju meki kao hleb. S Mariom se često upuštao u
rasprave, čas zato što je iz našeg kupatila curila voda vlaže-
ći mu plafon, čas zato to mu je smetalo Otovo lajanje. Ni sa
mnom nije bio u najboljim odnosima, ali iz drugih razloga.
Kada smo se sretali, u očima sam mogla da mu pročitam za-
nimanje koje je u meni budilo nelagodu. Nije se tu radilo o
vulgarnosti, on za vulgarnost nije bio sposoban. Jednostav-
no verujem da su mu žene, sve žene, unosile nervozu i da u
njihovom prisustvu nije znao kako da ih gleda, kako da se
ponaša i šta da kaže, čime im je stavljao do znanja da žudi za
njima. On je toga bio svestan, bilo ga je stid, i kada se to do-
gađalo, možda i nehotice, prenosio je osećaj stida i na mene.

Iz tog razloga sam se trudila da s njim imam što manje posla, osećala sam nelagodu i kad je trebalo da mu kažem *dobar dan* i *dobro veče.*

Posmatrala sam njegovu visoku figuru, koja je delovala još više zbog senke koja ju je pratila, mršavu ali nekako otežalu, osedele kose, kako prelazi trg. Koračao je bez žurbe, a onda iznenada kao da se okliznu, načini pokret kao da pokušava da održi ravnotežu. Zastade, podiže desnu cipelu da pogleda đon i opsova. Potom me primeti, požali se:

„Jeste li videli, upropastio sam cipelu.“

U celoj situaciji nije bilo ničega što je ukazivalo na moju krivicu, pa ipak požurih da mu se izvinim i stadoh besno dozivati Ota, kao da hoću da se pas lično izvini našem komšiji i da na taj način skine s mene svaku krivicu. Međutim, žućkasti Oto samo projuri pored nas, obasjan uličnim svetlima, i nestade u mraku.

Muzičar stade nervozno čistiti đon o travu koja je rasla uz trotoar, a potom se pažljivo zagleda u cipelu.

„Nema potrebe da se izvinjavate, samo vodite psa u šetnju negde drugde. Narod se žali...“

„Žao mi je, moj muž obično vodi računa...“

„Oprostićete mi, ali vaš muž je jedan nevaspitani...“

„Sada ste vi taj ko je nevaspitan“, odbrusih žustro, „uostalom, nismo mi jedini koji imaju psa.“

On odmahnu glavom, potom slegnu ramenima kao da mi poručuje da ne želi da se svađa, promrmlja:

„Prenesite mužu da bude oprezan. Ima ljudi koji ne bi oklevali da naokolo ostave otrov.“

„Neću ja ništa da prenesem mom mužu", uzviknuh razjareno. Potom dodadoh, nedosledno, maltene kako bih samu sebe podsetila na to:

„Ja više nemam muža."

Ostavih ga da stoji sam na prilazu zgradi i počeh da trčim po travi, kroz žbunje i drveće, dozivajući Ota na sav glas, kao da me taj čovek juri, pa mi pas treba da me zaštiti. Kada se zadihana osvrnuh, videh muzičara kako baca poslednji pogled na đon cipele a potom tromim koracima nestaje u ulazu.

## 4.

U danima koji su usledili od Marija nije bilo ni traga ni glasa. Mada sebi bejah zacrtala pravila ponašanja, gde na prvo mesto stavih da ne pokušavam da kontaktiram s našim zajedničkim prijateljima, nisam bila u stanju da odolim iskušenju, pozvah ih.

Otkrih da o mom mužu niko ništa ne zna, činilo se da ga već danima niko nije video. Tada ogorčeno objavih svima da me je napustio zbog druge žene. Očekivala sam da će ih vest zapanjiti, međutim stekoh utisak da nisu nimalo iznenađeni. Kada ih, trudeći se da zvučim nonšalantno, upitah znaju li ko mu je ljubavnica, koliko ima godina, čime se bavi, živi li već s njom, dobih samo neodređene odgovore. Jedan njegov kolega s fakulteta, izvesni Farako, pokuša da me uteši rekavši:

„To su ti te godine, Mario je ušao u četrdesete, dešava se."

Iznervirah se, prosiktah pakosno:

„Je l' tako? Je l' se desilo i tebi? Dešava li se baš svima vaših godina, bez izuzetka? Otkud onda da ti još živiš s tvojom ženom? Daj mi načas Leu na telefon, hoću da joj kažem da se i tebi desilo!"

Nisam želela tako da odreagujem. Još jedno pravilo koje sebi bejah zadala bilo je da ne postanem osorna, da se ne iskaljujem na drugima. Međutim, nisam bila u stanju da se suzdržim, krv mi je ključala, u ušima mi je tutnjalo, oči su me pekle. Tuđa racionalnost i moja sopstvena spremnost da se ponašam smireno išli su mi na živce. Dah mi je zastajao u grlu, spremao se da zavibrira od besnih reči. Osećala sam potrebu da se s nekim zavadim, i zaista, posvađah se prvo s našim prijateljima muškog pola, a potom i s njihovim ženama i partnerkama, i naposletku sa svim onim muškarcima i ženama koji su pokušali da mi pomognu da prihvatim ono što me je zadesilo.

Najviše strpljenja pokazala je Lea, Farakova supruga, žena blage naravi, koja je imala sklonosti za posredovanje, iznalaženje rešenja za svačije probleme, mudra i puna razumevanja, do te mere da je ljutiti se na nju delovalo kao nanošenje uvrede maloj grupi iskreno dobronamernih ljudi. Međutim, ni sa njom nisam uspela da se suzdržim, ubrzo počeh i u nju da sumnjam. Ubedih sebe da, odmah nakon razgovora sa mnom, telefonira mom mužu i njegovoj ljubavnici kako bi im do tančina prenela kako sam odreagovala, kako se snalazim s decom i sa psom, koliko će mi još vremena trebati da se pomirim sa situacijom. Naglo prestadoh da se viđam i s njom, ostadoh bez prijateljice kojoj bih mogla da se poveravam.

Počeh da se menjam. U roku od mesec dana, izgubih naviku da se brižljivo šminkam. U prošlosti sam se uvek prefinjeno izražavala, trudeći se da nikoga ne uvredim, a sada se u svakoj mojoj reči osećao sarkastičan prizvuk, smejala sam se prostački. Malo-pomalo, uprkos otporu koji sam se trudila da pružim, počeh da se služim i vulgarnim jezikom.

Vulgarnosti su mi dolazile navrh jezika prirodno, kao da sam se njima služila da malobrojnim prijateljima, koji su još uvek pokušavali da me bez iskrene naklonosti uteše, pokažem da nisam neko ko će dopustiti da ga nasamare lepim rečima. Čim bih otvorila usta, osećala sam potrebu da izvrgavam ruglu i pljujem Marija i njegovu kurvu. Prezirala sam pomisao da on o meni zna sve, dok ja o njemu ne znam maltene ništa. Osećala sam se poput slepca koji oseća da ga posmatraju upravo oni koje sam želi da špijunira. Je li moguće, pitala sam se, osećajući kako u meni narasta ogorčenost, da prevrtljivi svet poput Lee prenosi mom mužu sve o meni, a da ja ne znam ni sa kakvom je ženom otišao u krevet, zbog koga me je ostavio, šta to ona ima, a ja nemam? Za sve su krive uhode, mislila sam u sebi, lažni prijatelji, osobe koje uvek staju na stranu onih koji uživaju u slobodi, koji su srećni, nikad na stranu ucveljenih. Dobro sam to znala. Bili su im draži novi, uvek veseli parovi koji se provode do kasno u noć, zadovoljna lica onih koji se ne bave ničim drugim osim seksom. Koji ljube, grickaju, ližu i sisaju, kako bi osetili ukus one stvari. Počeh da razmišljam samo o tome: o Mariju i njegovoj novoj ženi, o tome kako i koliko se tucaju. U takvom razmišljanju provodila sam i dane i noći, zarobljenica sopstvenih misli, zapostavih sebe, prestadoh da se češljam, prestadoh da se kupam. Koliko se tucaju – pitala sam se dok me je prožimao nepodnošljiv bol – kako, gde? Tako se i oni koji su pokušavali da mi pomognu naposletku povukoše, bejah postala nepodnošljiva. Ostadoh sama, uplašena sopstvenim očajem.

## 5.

U isto vreme, u meni poče konstantno da raste svest o opasnostima koje me okružuju. Teret koji su za mene predstavljala moja deca – odgovornost, ali i materijalna strana njihovog postojanja – poče sve više da me pritiska. Strahovala sam da više nisam u stanju da se staram o njima, plašila sam se da bih im mogla na neki način i naškoditi u trenutku rasejanosti ili premora. Ne da je Mario pre bogzna kako pomagao, uvek je bio zauzet poslom. Ali mi je njegovo prisustvo – ili tačnije njegovo odsustvo koje se pak uvek moglo pretvoriti u prisustvo ukoliko je to bilo potrebno – ulivalo sigurnost. To što sada više nisam znala gde je, što nisam imala njegov nov broj telefona, što sam unezvereno i učestalo pozivala njegov broj mobilnog telefona samo kako bih se uverila da ga uvek drži isključenog, to što mu ni na koji način više nisam mogla ući u trag, što su mi čak i njegove kolege s posla, možda njegovi saveznici, odgovarale da je na bolovanju, da je uzeo slobodne dane, ili čak da je na poslovnom putu u inostranstvu, činilo je da se osećam poput boksera koji je zaboravio prave pokrete pa kruži po ringu mlitavo i spuštenog garda.

Živela sam u strahu da ću zaboraviti da treba da odem po Ilariju u školu; ukoliko sam poslala Đanija da mi nešto donese iz obližnje radnje, plašila sam se da će mu se nešto dogoditi, ili još gore, da ću, obuzeta sopstvenim brigama, zaboraviti na njega i da neću voditi računa o tome da li se vratio kući ili nije.

Sve u svemu, osećala sam se labilno, i kako bih se izborila s labilnošću nametala sam sebi strogu samodisciplinu. Glavom su mi se rojile fantazije o Mariju, o njemu i toj ženi, prepuštala sam se preispitivanju naše prošlosti i mahnitoj potrebi da shvatim u čemu to nisam bila na visini zadatka, a sa druge strane sam se očajnički posvećivala obavezama: posoliti pastu, voditi računa da je ne posolim dva puta, voditi računa o roku upotrebe hrane, o tome da ne ostavim uključen šporet.

Jedne noći čuh neki šum, poput lista papira koji se kreće po podu nošen vetrom.

Pas prestrašeno zalaja. Oto, iako vučjak, nije bio naročito hrabar.

Ustadoh, pogledah ispod kreveta, stadoh zavirivati pod nameštaj. U izvesnom trenutku, okruženu dlakama i prašinom, koji se behu nakupili, ugledah jednu crnu priliku koja hitro izlete ispod komode, projuri kroz moju sobu i, praćena psećim lavežom, ulete u dečju sobu.

Odjurih kod njih, upalih svetlo, izvukoh usnulu decu iz kreveta i zalupih vrata. Moj strah prešao je i na njih i zato malo-pomalo skupih snagu da se priberem. Rekoh Đaniju da mi donese metlu, a on, koji je bio jedno poslušno dete, donese metlu i đubrovnik. Ilarija, međutim, odmah poče da zapomaže:

„Hoću tatu, pozovi tatu!"

Prosiktah besno:

„Vaš otac nas je napustio. Otišao je da živi u nekoj drugoj kući, s nekom drugom ženom, mi mu više nismo potrebni."

Uprkos strahu koji su mi unosila sva živa stvorenja koja su na bilo koji način podsećala na reptile, oprezno otvorih vrata dečje sobe, odgurnuh Ota koji je želeo da uđe i zatvorih vrata za sobom.

Treba odatle da počnem, rekoh sebi. Nema više prostora za slabosti, sama sam. S besom i gađenjem, podvukoh metlu prvo pod krevete a potom i pod ormar. Žućkastozeleni gušter, koji je ko zna kako stigao do nas na petom spratu, pojuri ka zidu tražeći kakvu rupu ili pukotinu u kojoj bi se sakrio. Saterah ga u ćošak i zgnječih ga pritiskajući iz sve snage dršku od metle. Potom, s gađenjem, izađoh s nepokretnim telom velikog guštera na đubrovniku i rekoh:

„Sve je u redu, vidite da nam vaš otac nije potreban."

Ilarija odbrusi oštro:

„Tata ga ne bi ubio, on bi ga uzeo za rep i izneo u dvorište."

Đani odmahnu glavom, priđe mi da bolje vidi guštera i obgrli me oko struka. Reče:

„Sledeći put hoću ja da ga izmasakriram."

U toj preterano nasilnoj reči, masakrirati, osetih sav njegov bol. Bila su to moja deca, dobro sam ih poznavala, trudeći se da mi to ne pokažu mirili su se sa vešću koju samo što im bejah saopštila: da je njihov otac otišao, da mu je neka nepoznata žena bila draža od njih i od mene.

Ništa me ne upitaše, ne zatražiše nikakvo objašnjenje. Oboje se vratiše u krevet u strahu od toga da su se ko zna kakve druge zveri iz parka uzverale sve do našeg stana. Mučili su se da ponovo zaspu, a ujutru mi se učiniše drugačijim, kao da su postali svesni toga da na čitavom svetu nigde nisu bezbedni. Uostalom, tako sam se i sama osećala.

6.

Nakon epizode s gušterom, noći koje sam ionako provodila jedva sklapajući oči pretvoriše se u pravo mučenje. Provodila sam ih u razmišljanju o tome odakle sam došla, kakva to osoba postajem. Sa osamnaest godina sebe sam smatrala poletnom devojkom, imala sam velika očekivanja. Sa dvadeset godina već sam bila zaposlena. Sa dvadeset dve sam se udala za Marija, zajedno smo napustili Italiju, živeli smo prvo u Kanadi, a potom u Španiji, pa u Grčkoj. Sa dvadeset osam godina rodila sam Đanija, i tokom trudnoće napisala sam jednu dugu priču, smeštenu u napuljski ambijent, koju sam naredne godine s lakoćom uspela da objavim. Sa trideset godina dobila sam Ilariju. Sada, s trideset osam, od mene ne beše preostalo ništa, nisam bila u stanju ni da se ponašam onako kako mi se činilo ispravno. Bez posla, bez muža, skvrčena i otupela.

Kad su deca bila u školi, opružala sam se na kauč, pridizala sam se, vraćala se u sedeći položaj, gledala sam televiziju. Međutim, nijedan program nije uspevao da mi privuče pažnju, da mi pomogne da zaboravim na svoje probleme. Noću sam se vrtela po kući, gledala sam kanale na kojima su se žene, naročito žene, vrtele po krevetima poput žutih pastirica u krošnjama drveća. Ružno su se kreveljile iznad jarko istaknutih brojeva telefona, iznad natpisa koji su obećavali veliko uživanje. Prenemagale su se umilno, izvijale su se. Posmatrala sam ih pitajući se da li je i Mariova kurva takva, pornografski san ili noćna mora, i da li je on u tajnosti baš za tim žudeo tokom petnaest godina koje smo proveli zajedno, da li je baš to želeo, a da ja to nisam shvatila. I zato sam se ljutila prvo na sebe a potom i na njega, sve dok ne bih briznula u plač, kao da te žene s noćne televizije, s tim svojim nadražujućim pipanjem velikih grudi i lizanjem sopstvenih bradavica dok se prenemažu od lažnog zadovoljstva, predstavljaju toliko tužan prizor da me dovode do suza.

Kako bih se smirila, stekoh naviku da pišem sve do zore. Isprva sam se trudila da radim na knjizi koju sam već godinama pokušavala da napišem, a potom od nje odustadoh. Iz noći u noć pisala sam pisma Mariju iako nisam imala adresu na koju bih ih poslala. Nadala sam se da ću pre ili kasnije naći način da mu ih predam, sviđala mi se pomisao da će ih pročitati. Pisala sam dok je kućom vladala tišina, prekidali su je samo dečje ravnomerno disanje iz druge sobe i Otovo kruženje stanom i zabrinuto režanje. Trudila sam se da ta pisma zvuče promišljeno, razgovorno. Pisala sam mu da detaljno preispitujem naš odnos, i da mi je potrebna njegova pomoć da shvatim u čemu sam to pogrešila. Protivrečnosti života udvoje su brojne – priznavala sam – i ja radim na našima kako bih ih razotkrila i prevazišla. Ono najvažnije, jedino što sam očekivala od njega, bilo je da me sasluša, da mi kaže kako namerava da mi pomogne u tom samoispitivanju. Bilo mi je nepodnošljivo što ne daje znake života, nije bilo fer da me lišava prilike da se suočimo, koja mi je bila tako neophodna, ako ništa drugo dugovao mi je malo pažnje, odakle mu pravo da me ostavi samu, skrhanu bolom, da stavljam pod lupu, godinu za godinom, čitav naš zajednički život. Nije bilo važno – lagala sam pišući – da se vrati da živi sa mnom i s našom decom. Od njega mi je bilo potrebno nešto drugo, da mi pomogne da shvatim. Zbog čega je tako nehajno odbacio petnaest godina nežnosti, emocija, ljubavi? Uzeo mi je toliko vremena kako bi na njega zaboravio kao da je u pitanju bio običan hir. Kakva nepravedna, jednostrana odluka. Oduvao je prošlost poput kakvog ružnog insekta koji mu je sleteo na ruku. U pitanju je bila i moja prošlost, ne samo njegova, koja je tonula u beznađe. Molila sam ga, preklinjala da mi pomogne da shvatim da li je to vreme koje smo proveli zajedno imalo nekog smisla, u kom trenutku ga je izgubilo, da li je zaista bilo obično gubljenje sati, meseci i godina, ili ima neko skriveno značenje koje bi ga iskupilo, koje bi ga pretvorilo u iskustvo kadro da urodi novim plodom. Bilo mi je preko potrebno da što pre to shvatim, završavala sam svoja pisma. Tek ću tada biti u stanju da se povratim, da nastavim svoj život, makar i bez njega. Ovako, međutim, ostavljena da živim bez odgovora koji su mi bili potrebni, propadam, venem, sušim se poput prazne morske školjke pod letnjim suncem.

Kada bi mi se olovka urezala u otekle prste i kad sam počinjala da osećam bol, a oči mi se mutile od suza, odlazila sam da gledam kroz prozor. Osećala sam nalete vetra koji su

protresali drveće u parku i nemu noćnu tamu slabo osvet-
ljenu uličnim lampama čija se svetlost gubila pod gustim li-
šćem. Tokom tih dugih sati, predstavljala sam glasnika bola,
čuvala sam noć u društvu umrlih reči.

## 7.

Danju sam pak postajala sve mahnitija i nesmotrenija. Na-
metala sam sebi obaveze, jurila sam s jednog kraja grada na
drugi obavljajući zanemarljive zadatke kao da su u pitanju
neodložni poslovi. Želela sam da delujem odlučno, a zapravo
jedva da sam imala kontrolu nad sopstvenim telom, iza pri-
vida aktivne osobe krio se mesečar.

Torino mi je sada delovao poput velike gvozdene tvrđave
sa zidovima od sivkastog leda koje prolećno sunce ne uspeva
da zagreje. Tokom lepih dana, ulice je obasjavala neka hladna
svetlost koja je u meni budila grozničavost. Ukoliko sam išla
pešice, sudarala sam se s predmetima i ljudima, često sam
bila primorana da sednem kako bih se umirila. U automobilu
je bilo još gore, zaboravljala sam da se nalazim za volanom.
Umesto puteva, pred očima su mi se nizale uspomene iz pro-
šlosti ili mučne fantazije, ulubljivala sam branik, kočila sam u
zadnji čas, i to besno, kao da stvarnost nema pravo da se meša
u svet koji je za mene u tom trenutku bio jedini stvaran.

U tim prilikama besno sam izlazila iz automobila, svađala
se sa onima koji su bili u autu koji sam lupila, urlala sam
uvrede, ukoliko se za volanom nalazio muškarac govorila

sam mu da znam šta mu je na umu, sigurno svinjarije, možda kakva mlada ljubavnica.

Iskreno se uplaših samo jednom prilikom, kad sam rasejano dozvolila Ilariji da sedne na suvozačko mesto. Vozila sam korzoom Masima D'Azelja, prilazila sam Ulici Galileo Feraris. Uprkos suncu, padala je kiša i ne znam o čemu sam razmišljala, možda sam se okrenula kćerki da proverim da li je vezala pojas, možda ne. U svakom slučaju, u zadnji čas ugledah crveno svetlo na semaforu i senku suvonjavog muškarca na pešačkom prelazu. Čovek je gledao preda se, učini mi se da je u pitanju Karano, naš komšija. Možda to i jeste bio on, ali bez instrumenta na leđima, pogurene glave i sede kose. Nalegoh na kočnicu, automobil se zaustavi na par centimetara od čoveka uz bučnu škripu guma, Ilarija zviznu glavom u vetrobran, na staklu se ukaza naprslina a njena koža smesta dobi modru boju.

Povici, plač, začuh tutnjavu s desne strane i pored nas, uz trotoar i gvozdenu ogradu projuri sivkastožuta masa tramvaja ostavivši nas za sobom. Sedela sam bez reči za volanom dok me je Ilarija besno udarala pesnicama vičući:

„Vidi šta si mi uradila, glupačo jedna, je l' znaš koliko si me povredila!“

Neko mi se obraćao, ali nisam bila u stanju da razumem šta mi govore, možda je to bio upravo moj komšija, ako je čovek na pešačkom prelazu bio on. Prenuh se, odgovorih neljubazno. Potom zagrlih Ilariju, uverih se da ne krvari, stadoh da vičem na automobile oko sebe koji su mi trubili, probih se kroz masu dosadnih zabrinutih prolaznika, kroz maglu senki i zvukova.

Izađoh iz automobila, podigoh Ilariju, pođoh da nađem vodu. Pređoh tramvajske šine i pođoh odlučno ka sivom uličnom nužniku na kojem se nalazio stari natpis „Lokalno sedište Nacionalne fašističke partije". Potom se predomislih, šta to radim, vratih se nazad. Sedoh na klupicu na tramvajskoj stanici grleći Ilariju koja je vrištala i pokušah da odagnam senke i glasove koji su se skupljali oko mene. Kada smirih kćerku odlučih da je odvedem u bolnicu. Sećam se da sam imala samo jednu jasnu misao, opsesivno sam je se držala: neko će preneti Mariju da mu je kćerka povređena, i on će se javiti.

Ilariji, međutim, nije bilo ništa. Jedino je izvesno vreme na čelu imala plavičastu čvorugu koju je pokazivala s ponosom, ništa što bi ikoga zabrinulo a ponajmanje njenog oca, sve i da mu je neko ispričao šta se dogodilo. Jedino neprijatno sećanje na taj dan bila je ta moja misao, pokazatelj moje podlosti i mog očaja, nepromišljene želje da se poslužim kćerkom kako bih naterala Marija da se vrati kući, kako bih mogla da mu kažem: vidiš li šta se može desiti kad nisi tu? Je li ti sad jasno u kom me pravcu guraš, iz dana u dan?

Zastideh se. S druge strane, ništa tu nisam mogla, nisam bila u stanju da razmišljam ni o čemu drugom osim o tome kako da ga nateram da mi se vrati. To ubrzo postade moja nova opsesija: da ga sretnem, da mu kažem da ne mogu više da izdržim, da mu pokažem na šta sam se svela bez njega. Bila sam ubeđena da je, zaslepljen ko zna kakvim osećanjima, izgubio sposobnost da sagleda situaciju u kojoj je ostavio mene i svoju decu, i da veruje da smo nastavili da živimo mirnim životom kao i uvek. Možda je mislio da nam je čak i laknulo zato što ja napokon ne moram više da se staram i o njemu, i zato što deca više ne moraju da se plaše njegovog autoriteta, što Đanija više niko ne grdi kad udari sestru, niti Ilariju kada muči brata, i da svi – on na jednoj strani, mi na drugoj – živimo srećno. Potrebno je – govorila sam sebi – da mu otvorim oči. Nadala sam se da će, ukoliko dođe da nas vidi, ukoliko vidi u kakvom se stanju nalazi kuća, ukoliko provede samo jedan dan posmatrajući u šta se pretvorio naš život – u mučnu i haotičnu zbrku, zategnutu poput testere koja prolazi kroz meso – ukoliko pročita moja pisma i shvati koliko ozbiljnog truda ulažem da uočim naše probleme, smesta sebe ubediti da se vrati kući.

Ubeđivala sam sebe da nas nikad ne bi ostavio da zna u kakvom se stanju nalazimo. Da zna da je poodmaklo proleće, koje u njegovim očima, gde god da je, mora delovati kao sjajno doba, za nas samo kulisa za naše muke i premor. Činilo mi se da se sa svakim danom park primiče našoj kući kao da želi da je proguta svojim granama i lišćem. Zgrada je bila puna polena, Oto je bio živahniji nego ikad. Ilariji behu otekli kapci, Đaniju beše izbio osip oko nosa i iza ušiju. Ja lično sam, zbog umora i otupelosti, sve češće padala u san oko deset sati izjutra i jedva sam uspevala da se probudim na vreme da odem po decu, do te mere da iz straha da jednog dana neću uspeti da se trgnem iz sna na vreme počeh da ih navikavam da se sami vraćaju kući iz škole.

S druge strane, te poslepodnevne dremke, koje su me isprva brinule, u kojima sam videla simptom nekakve bolesti, sada su mi se sviđale, radovala sam im se. Ponekad me je iz njih budio zvuk zvonceta na ulaznim vratima. Bila su to deca, koja su ko zna koliko dugo stajala ispred lupajući na vrata. Jednom prilikom kad mi je trebalo naročito mnogo vremena da otvorim, Đani mi reče:

„Pomislio sam da si umrla."

## 8.

Jednog takvog poslepodneva provedenog u dremci trgnuh se iz sna naglo kao da me je neko ubo iglom. Pomislih da su se deca vratila iz škole, pogledah na sat, bilo je još rano za njih. Shvatih da me je iz sna prenula zvonjava mobilnog telefona. Javih se na telefon besno, neljubaznim tonom kojim sam se sada svima obraćala. Međutim, bio je to Mario, odmah promenih ton. Reče da me zove na mobilni zato što nešto nije u redu s kućnom linijom, pokušao je više puta, ali čuo je samo šuštanje i udaljene glasove nepoznatih ljudi. Osetih se ganuto čuvši njegov glas, njegov ljubazan ton, zbog toga što negde u svetu i dalje postoji. Prvo što mu rekoh bilo je:

„Nemoj da misliš da sam ti namerno stavila staklo u pastu, bila je to slučajnost, nešto pre tvog dolaska razbila sam bocu."

„Ma kakvi", odgovori, „ja sam preterano burno odreagovao."

Ispričao mi je da je morao navrat-nanos da pođe u inostranstvo poslom, da je bio u Danskoj, da je u pitanju bilo lepo ali naporno putovanje. Upita me može li to veče da navrati da se javi deci i da uzme neke knjige koje su mu potrebne, naročito svoje beleške.

„Naravno", odgovorih mu, „ovo je tvoj dom."

Plan da mu pred nos stavim zapuštenost stana, sebe i dece rasprši se u tren oka, još dok sam spuštala slušalicu. Oribah čitav stan dok se nije zacaklio od podova do plafona, sve dovedoh u red. Istuširah se, isfenirah kosu, oprah je ponovo jer mi se nije sviđalo kako mi je ispala frizura. Pažljivo se našminkah, obukoh jednu laganu letnju haljinu koju mi on beše kupio i koja mu se sviđala. Doterah ruke i stopala, naročito stopala, delovala su mi grubo. Ne ostavih nikakav propust. Proverih i svoj kalendar, prebrojah dane i na svoje veliko razočaranje otkrih da treba da dobijem menstruaciju. Ponadah se da će kasniti.

Kada se deca vratiše iz škole ostadoše zapanjeni. Ilarija reče:

„Sve je tako čisto, čak i ti. Kako si lepa."

Međutim, njihovo zadovoljstvo završilo se na tome. Behu se navikli da žive u neredu i iznenadni povratak u stari red ulivao im je nelagodu. Dugo smo se borili dok ih nisam ubedila da se okupaju, da se i oni doteraju kao da idemo na kakvu proslavu. Rekoh:

„Večeras nam dolazi vaš otac, i sve troje moramo da se postaramo da ostane s nama."

Ilarija mi objavi poput kakve pretnje:

„Onda ću da mu ispričam za čvorugu."

Đani reče uzbuđeno:

„Ja ću da mu kažem da otkad je otišao grešim zadatke i da mi loše ide u školi."

„Tako je", odobravala sam, „sve mu ispričajte. Recite mu da vam je potreban, recite mu da mora da odluči ko mu je bitniji, vi ili ta njegova nova žena."

Uveče se ponovo okupah i našminkah, ali sam bila nervozna, iz kupatila sam vikala na decu koja su unosila nered u stan. U meni je narastala nelagoda, mislila sam: eto, imam i bubuljice na bradi i na čelu, čitavog života me bije maler.

Potom mi pade na pamet da stavim minđuše koje su pripadale Mariovoj baki, i do kojih je njemu bilo veoma stalo, i njegova majka ih je nosila čitavog života.

Bio je to dragocen komad nakita, za petnaest godina braka dopustio mi je da ih stavim samo jednom, za venčanje njegovog brata, a i tom prilikom sam ga jedva ubedila. Ljubomorno ih je čuvao, ne iz straha da ću ih izgubiti ili da će mi ih ukrasti, niti zato što je smatrao da pripadaju isključivo njemu. Verujem da se plašio da će videvši ih na meni pokvariti ko zna kakve uspomene ili fantazije o svom detinjstvu i mladosti.

Odlučih da mu jednom za svagda pokažem da sam jedino ja moguće oličenje tih fantazija. Pogledah se u ogledalu i, uprkos omršaveloj figuri i sivkastim podočnjacima, i žućkastom tenu koji ni puder nije uspevao da pokrije, učini mi se da sam lepa ili, da se bolje izrazim, želela sam da sebe vidim kao lepu po svaku cenu. Bilo mi je potrebno samopouzdanje. Koža mi je još uvek bila zategnuta. Delovala sam mlađe od svojih trideset osam godina. Ukoliko uspem da sakrijem od sebe utisak da je iz mene poput krvi, pljuvačke i sluzi tokom kakve operacije isisan sav život, možda uspem da zavaram i Marija.

Odmah potom osetih kako me hvata depresija. Osetih težinu kapaka, bol u krstima, želju da zaplačem. Proverih gaćice, bile su umrljane krvlju. Uzviknuh neku tešku vulgarnost na mom dijalektu, s takvim besom u glasu da pomislih da deca

mora da su me čula. Okupah se iznova, presvukoh se. Napo-
sletku se začu zvonce.

Smesta se razdražih. Gospodin hoće da izigrava stranca, ne
koristi svoje ključeve od kuće, hoće da istakne da je došao
samo u posetu. Prvi ka vratima pojuri Oto, mahnit od sreće,
uz zadihan oduševljen lavež prepoznavanja svog gazde. Po-
tom stiže Đani, koji otvori vrata i stade kao okamenjen, poput
vojnika. Iza njegovih leđa, skoro kao da se krije iza brata ali
osmehujući se i zacakljenih očiju, pojavi se i Ilarija. Ja osta-
doh da stojim u dnu hodnika, na pragu kuhinje.

Mario uđe, ruku punih poklona. Behu prošla tačno trideset
četiri dana otkad sam ga poslednji put videla. Učini mi se da
izgleda mlađe, negovanije, čak i odmornije, i stomak mi se
tako bolno zgrči da pomislih da ću izgubiti svest. Na njego-
vom licu i telu nije bilo ničega što bi ukazalo na to da smo
mu nedostajali. Na meni su, međutim – to mi postade sasvim
jasno čim ugledah njegov zabrinut pogled – bili vidni znakovi
patnje, a on nije uspevao da prikrije znake blagostanja, mo-
žda čak i prave sreće.

„Deco, ostavite oca na miru", rekoh lažno veselim glasom
kada su Ilarija i Đani završili sa otvaranjem poklona, sa ka-
čenjem oko njegovog vrata, poljupcima i otimanjem za nje-
govu pažnju. Ne poslušaše me. Neko vreme sam razdraženo
sedela u uglu dok je Ilarija isprobavala haljinu koju joj je otac
kupio, afektirajući sladunjavo, a Đani vozao hodnikom elek-
trični automobil za kojim je Oto jurio lajući. Činilo mi se da
vreme ključa, kao da se u lepljivim talasima iz prepune šerpe
preliva na šporet. Bila sam primorana da slušam kako moja

kćerka slika mračnim bojama dobijanje čvoruge i moje ostale krivice, da gledam kako joj Mario ljubi čelo i uverava je da to nije ništa, da slušam Đanija kako preuveličava svoje školske probleme i kako čita ocu neki svoj sastav koji se učiteljici nije svideo i da gledam Marija kako ga hvali i umiruje.

Kakav patetičan prizor. Naposletku, nisam više mogla da izdržim, grubo pogurah decu u njihovu sobu, zatvorih vrata i zapretih da će biti kažnjeni ukoliko iz nje izađu i, nakon mnogo uzaludnog truda da mi glas zazvuči umilno, uzviknuh:

„Baš lepo. Jesi li se lepo proveo u Danskoj? Jesi li sa sobom poveo i ljubavnicu?"

On odmahnu glavom, stisnu usne, odvrati tihim glasom:

„Ako ćeš da budeš takva, uzeću svoje stvari i idem smesta."

„Samo sam te pitala kako ti je bilo na putu. Zar ne smem da pitam?"

„Ne smeš takvim tonom."

„Je l' tako? A kakvim to tonom? Kako hoćeš da ti se obraćam?"

„Kao učtiva osoba."

„Jesi li ti bio učtiv sa mnom?"

„Ja sam se zaljubio."

„Ja sam, vidiš, zaljubljena već bila. U tebe. A ti si me ponizio, i nastavljaš da me ponižavaš."

Spusti pogled, delovao mi je istinski nesrećno, i to me ganu, počeh iznenada da mu se obraćam s nežnošću, nisam mogla drugačije. Rekoh mu da razumem njegovu situaciju, da mogu da zamislim koliko je zbunjen, ali da ja – mrmljala sam prekidajući reči dugim bolnim pauzama – koliko god se trudila da

u sve ovo uvedem kakav-takav red, da pokažem razumeva-
nje, da strpljivo sačekam da bura prođe, ponekad popustim,
ponekad nisam u stanju. I tako, kako bih mu pružila dokaz
svoje dobre volje, izvadih iz kuhinjske fioke svežanj pisama
koja mu bejah napisala i brižljivo ih spustih pred njega.

„Pogledaj koliko sam radila na ovome", objasnih mu, „tu
ćeš naći sve moje razloge i trud koji ulažem da shvatim tvoje.
Pročitaj ih."

„Sada?"

„A kad drugo?"

Nežno otvori prvi list, pređe pogledom preko nekoliko re-
dova, pogleda me.

„Pročitaću ih kod kuće."

„Kod čije to kuće?"

„Olga, prekini. Daj mi vremena, molim te, nemoj da misliš
da je meni lako."

„Sigurna sam da je meni teže."

„Nije tačno. Osećam se kao da srljam u provaliju. Plaše me
sati, minuti..."

Ne znam šta je tačno rekao. Ako hoću da budem iskrena,
mislim da je samo pomenuo to da, živeći s nekim, spavajući
u istom krevetu, telo te druge osobe postaje poput časovni-
ka, poput „brojača" reče – upotrebio je baš taj izraz – brojača
koji meri prolazak života i za sobom ostavlja teskobu. Ja pak
stekoh utisak da želi da kaže nešto drugo, sigurno je da sam
mislila da čujem više od onoga što je rekao i s rastućom pro-
računatom vulgarnošću koju je prvo pokušao da zaustavi, ali
od koje je kasnije zanemeo, prosiktah:

„Hoćeš da kažeš da sam te gušila? Hoćeš da kažeš da si spa-
vajući pored mene osećao da stariš? Da si približavanje smrti
merio na mojoj guzici, po tome kako je nekad bila čvrsta i
tome kakva je sad postala? Jel' to hoćeš da kažeš?"

„Deca su tamo..."

„Tamo, ovde... a ja, gde sam ja? Gde hoćeš da ja budem? To
ja hoću da čujem! Ako ti osećaš teskobu, zamisli samo kako
je meni! Pročitaj, pročitaj pisma! Ništa ne razumem! Ne razu-
mem šta nam se dogodilo!"

Pogleda moja pisma pogledom punim gađenja.

„Ukoliko dozvoliš da ti ovo postane opsesija, nikada nećeš
razumeti."

„Ma je li? A kako to hoćeš da se ponašam pa da ne postane
opsesija?"

„Treba da nađeš sebi neku razonodu."

Osetih kako se u meni nešto kida, osetih mahnitu potrebu
da vidim oseća li još uvek ljubomoru, da li još uvek smatra
moje telo svojim, može li da prihvati da sada pripada nekome
drugom.

„Naravno da se razonodim", rekoh budalasto, „nemoj mi-
sliti da sedim ovde i čekam tebe. Pišem, pokušavam da
shvatim, kidam se od bola. Ali to činim sebe radi i radi dece,
ne da udovoljim tebi. Samo bi mi još to falilo. Pogledaj oko
sebe. Vidiš li kako lepo živimo nas troje? A mene, jesi li me
video?"

Isprsih se, zabacih glavu kako bi primetio minđuše, poka-
zah mu prvo jednu pa drugu stranu lica.

„Lepo izgledaš", reče neubedljivo.

„Đavola, lepo. Odlično sam! Pitaj našeg komšiju Karana kako sam."

„Svirača?"

„Muzičara."

„Viđaš li se s njim?", upita me preko volje.

Nasmejah se, u mojim ušima smeh zazvuča kao jecaj.

„Tako je, recimo da se viđam s njim. Viđamo se baš onako kako se viđate ti i tvoja ljubavnica."

„Zašto baš s njim? Taj tip mi se ne sviđa."

„Pa šta, nisi ti taj koji treba da se tuca sa njim nego ja."

Podiže ruke ka licu, protrlja ga dobro, a zatim promrmlja:

„Je l' ti ovako i pred decom?"

Nasmejah se.

„Šta to, da li se tucam?"

„Ne, da li tako pričaš pred njima?"

Sasvim izgubih kontrolu, zaurlah:

„Kako to pričam, pun mi je kurac prenemaganja! Ti si me povredio, upropastio si me, a ja treba da pričam kao dobra kulturna žena? Ma da se teraš u tri pičke materine! Kakvim rečima hoćeš da opišem ono što si mi uradio, ono što nastavljaš da mi radiš? Kakvim rečima da opišem to što radiš sa onom tamo? Da čujem! Ližeš li je dole? Guraš li joj ga u dupe? Radiš li sa njom sve ono što sa mnom nikad nisi? Reci mi! Ja vas u svakom slučaju zamišljam! Kao da vidim sopstvenim očima sve što radite, videla sam to milion puta, i danju i noću, zatvorenih i otvorenih očiju! Ali ne, ne smemo da uznemiravamo gospodina, ne smemo da uznemiravamo njegovu decu, moram da pričam finim jezikom, da izi-

gravam prefinjenost, otmenost! Odlazi, odlazi odavde, gov-
naru jedan!"

On smesta ustade, besno odjuri u svoju radnu sobu, stade
puniti torbu knjigama i sveskama, zastade načas kao opči-
njen pred svojim kompjuterom, uze jednu futrolu s nekim
CD-ovima i poče vaditi razne predmete iz fioka.

Povratih dah, pojurih za njim. Glavom su mi se rojile brojne
optužbe. Želela sam da povičem: da ništa nisi takao, to su
predmeti kojima si se služio dok sam ja bila ovde, dok sam se
starala o tebi, obavljala kupovinu, kuvala za tebe, to vreme mi
pripada, da si sve ostavio ovde! Međutim, sada sam se plašila
mogućih posledica svake izgovorene reči i onih koje bih tek
mogla izgovoriti, plašila sam se da je moje ponašanje u nje-
mu izazvalo odvratnost, da će zaista otići.

„Mario, oprosti, vrati se da porazgovaramo... Mario! Samo
sam malo nervozna..."

On se uputi ka vratima odgurnuvši me u stranu, otvori ih i
reče:

„Moram da idem. Ali ne brini se ništa, vratiću se. Vratiću se
po decu."

Načini korak kao da će izaći, zaustavi se, reče:

„Nemoj više da stavljaš te minđuše. Ne stoje ti lepo."

Nestade i ne zatvorivši vrata za sobom.

Ja ih snažno zalupih za njim, bila su to stara rasklimatana
vrata koja se ponovo otvoriše od udara. Stadoh besno lupati
njima sve dok ne ostadoše zatvorena. Potom pojurih na bal-
kon praćena psom koji je uznemireno lajao. Čekala sam da se
pojavi na ulici, i kad ga ugledah povikah:

„Reci mi gde živiš, ostavi mi makar broj telefona! Šta ću ako mi budeš potreban, ukoliko deca ne budu dobro?"

Ne udostoji me ni pogleda. Nastavih da vičem sasvim van sebe:

„Hoću da znam ime te kurve, moraš da mi kažeš! Hoću da znam da li je lepa, hoću da znam koliko ima godina!"

Mario uđe u kola i krenu. Automobil se izgubi iz vida, zaklonjen krošnjama drveća, na tren se ponovo pojavi a zatim nestade.

„Mama", pozva me Đani.

## 9.

Okrenuh se. Deca behu otvorila vrata svoje sobe, ali nisu se usuđivala da iz nje izađu. Mora da moj izgled na njih nije delovao ohrabrujuće. Posmatrali su me prestrašeno.

U njihovim pogledima pročitah nešto što me navede da pomislim da, poput likova iz priča o duhovima, vide više od onoga što je moguće videti golim okom. Da pored mene stoji, kruta poput pogrebnog spomenika, napuštena žena iz mojih sećanja iz detinjstva, *sirotica*. Da je došla iz Napulja u Torino kako bi se uhvatila za skute moje suknje da bi me sprečila da poletim s petog sprata. Da je znala da hoću da moj muž oseti kako po njemu pljušte moje suze i krv, da mu povičem: ne ostavljaj me! Sećam se da je ona, sirotica, to i učinila. U izvesnom trenutku, jedne večeri, odlučila je da se otruje. Moja majka je tihim glasom pričala svojim dvema radnicama, jednoj plavuši i drugoj brineti: „Sirotica je mislila da će joj se muž pokajati i da će odmah dojuriti da joj se nađe kraj postelje kako bi mu oprostila". On je, međutim, oprezan, ostao daleko s drugom ženom koju je voleo. Moja majka se gorko smejala prepričavajući tu priču i druge slične njoj koje beše čula. Žene koje su izgubile ljubav uzalud liju suze, žene koje su izgubile ljubav umiru dok su još žive. Tako je govorila šijući satima, uzimajući mere mušterijama koje su krajem šezdesetih godina još uvek dolazile njoj da im šije haljine po meri. Pričala je, ogovarala i šila, a ja sam slušala. Tamo sam otkrila potrebu za pisanjem priča, baš tamo, dok sam se igrala ispod stola. Neverni muškarac, koji je pobegao u Peskaru, nije se vratio ni kada je ona namerno stavila život na kocku, kada je trebalo pozvati hitnu pomoć i odvesti je u bolnicu. Te reči su mi ostale urezane u sećanje za čitav život. Staviti život na kocku, održavati ravnotežu između života i smrti, poput akrobate na žici. Slušala sam majčine reči i zamišljala sam, ne znam zašto, da je sirotica iz ljubavi prema mužu legla na oštricu nekakvog mača i da joj je oštrica rasekla haljinu i kožu. Kada se vratila iz bolnice reč *sirotica* joj je još bolje pristajala nego pre, pod haljinom je krila tamnocrveni ožiljak. Komšije su počele da je izbegavaju iz prostog razloga što nisu znali kako s njom da razgovaraju, šta da kažu.

Prenuh se, ponovo osetih ogorčenost, želela sam da se bacim na Marija, da pojurim za njim. Narednog dana odlučih da ponovo stupim u kontakt sa starim prijateljima. Međutim, telefon nije radio, Mario je makar o tome rekao istinu. Čim bih podigla slušalicu, s druge strane bi se začulo nepodnošljivo šuštanje, žamor udaljenih glasova.

Poslužih se mobilnim telefonom. Obratih se proračunato svim poznanicima, naizgled blagim tonom, stavih im do znanja da sam se smirila, da sam se pomirila sa svojom novom situacijom. One koji su mi delovali raspoloženo za razgovor stadoh oprezno zapitkivati o Mariju i o toj njegovoj novoj ženi, trudeći se da ih uverim da već sve znam i da samo želim da razgovaram kako bih sebi dala oduška. Većina mi je odgovarala sa „da" i „ne", predosećali su da podmuklo pokušavam da od njih izvučem informacije. Neki pak nisu bili u stanju da odole iskušenju, oprezno mi poveriše sitne detalje: ljubavnica mog muža vozila je folksvagen metalik boje, uvek je na sebi imala užasno vulgarne crvene čizmice, imala je plavu kosu i pomalo bledunjav ten, bilo je teško odrediti koliko joj je godina. Lea Farako se pokazala spremnijom na razgovor od ostalih. U njenu odbranu, nije se upuštala u ogovaranje, samo mi je prenela ono što je znala. Ne beše ih srela zajedno. O toj ženi nije mogla ništa da mi kaže. Znala je, međutim, da žive zajedno. Nije znala adresu, ali od nekog beše čula da stanuju u blizini Trga Breša, da, baš tamo, kod Trga Breša. Tamo su se sakrili zajedno, izabrali su jedno poprilično nedopadljivo mesto, zato što Mario nije želeo da sreće nikoga, naročito ne stare kolege s fakulteta.

Pritiskala sam je kako bi mi rekla još nešto, kada mi se mobilni telefon, koji ne znam ni sama kada bejah poslednji put napunila, iznenada ugasi. Mahnito stadoh tražiti punjač, ne nađoh ga. Prethodnog dana raspremila sam čitav stan zbog Mariove posete, mora da sam ga tutnula na neko sigurno mesto koga sada, koliko god se trudila, nisam mogla da se setim.

Obuze me jedan od mojih napada besa, Oto poče nesnosno da laje, zavitlah mobilni telefon u zid kako ga ne bih bacila na vučjaka.

Aparat se razbi na dva dela, delovi padoše na pod uz tup udarac, a pas ih napade i stade lajati na njih kao da su u pitanju živa bića. Nakon što se smirih, pođoh ka fiksnom telefonu, podigoh slušalicu, ponovo začuh neprekidno šuštanje i žamor udaljenih glasova. Međutim, umesto da spustim slušalicu, maltene bez razmišljanja, mehanički okrenuh Lein broj. Šuštanje se iznenada prekinu, čuh kako se linija uspostavlja, misterija telefona.

Taj drugi poziv pokaza se, međutim, uzaludnim. Beše prošlo izvesno vreme, i kad moja prijateljica ponovo podiže slušalicu, primetih da nije voljna da nastavi razgovor. Možda je muž beše izgrdio ili se sama pokajala što svojim mešanjem dodatno pogoršava situaciju za koju se dobro znalo da je sama po sebi dovoljno komplikovana. Reče mi, s mešavinom privrženosti i nelagode, da ne zna ništa više. Marija dugo ne beše videla, o njegovoj novoj devojci nije znala ama baš ništa, ni da li je mlada ili u godinama, radi li. Što se tiče njihovog mesta stanovanja, Trg Breša bio je samo opšta pretpostavka, moglo je da se radi o Korzou Palermo, o Ulici Teramo, Ulici Lodi, ko će ga znati, čitava zona je bila puna toponima. Uostalom, delovalo joj je krajnje neobično da bi Mario otišao da živi na jednom takvom mestu. Posavetova me da ne razmišljam više o tome, stade me uveravati da će s vremenom sve doći na svoje mesto.

Te njene reči me ne sprečiše da te iste noći sačekam da deca zaspe i da izađem da kružim automobilom po kvartu oko Trga

Breša, Korzoom Breša i Ulicom Palermo. Vozila sam bez žurbe. Grad mi je u toj četvrti delovao podeljeno, delio ga je veliki rascep u vidu sjajnih tramvajskih šina. Mračno nebo kojim se protezala samo visoka i elegantna dizalica, pritiskalo je niske zgrade i bolešljivu svetlost uličnih fenjera, poput neumoljivog pokretnog klipa. Bela i plava odeća landarala je s balkona pod naletima vetra, udarala je u sive tanjire televizijskih antena. Parkirah automobil i nastavih da šetam ulicama ozloječeno i uporno. Nadala sam se da ću sresti Marija i njegovu ljubavnicu. Priželjkivala sam to. Želela sam da ih iznenadim dok izlaze iz njenog folksvagena, u povratku iz bioskopa ili iz restorana, veseli kao što smo nekad bili on i ja, makar pre rođenja dece. Međutim, to se nije dogodilo, prolazila sam jedino pored praznih automobila i zatvorenih radnji, videh samo jednog pijanca šćućurenog u nekom ćošku. Nedavno okrečene fasade zgrada mešale su se s građevinskim terenom s kojeg su dopirali nepoznati glasovi. Na jednom krovu od crepova koji je pokrivao nisku zgradu pročitah natpis ispisan žutim slovima: *Silvano je slobodan.* Slobodan on, slobodni mi, slobodni svi. Kakvo samo gađenje osećamo pred mukama koje nas obavezuju, pred lancima mučnog života. Oslonih se klonulo na jedan plavi zid neke zgrade u Ulici Aleksandrija, u koji je bio urezan natpis *Vrtić „Napuljski princ".* Eto gde sam se nalazila, južnjački naglasak mi je odzvanjao glavom, udaljeni gradovi stapali su se u jedan prizor, plavo more i udaljene bele Alpe. Je li se ovako i sirotica s Trga Macini pre trideset godina naslanjala poput mene na kakav zid kada joj je od očaja ponestajalo daha? Nisam mogla, kao što uostalom nije umela ni ona, da nađem olakšanje u pobuni, u osveti. Sve i da se Mario i ta njegova nova žena zaista kriju u nekoj od tih zgrada, na primer u toj velikoj zgradi s pogledom na dvorište na čijem ulazu stoji natpis „aluminijum", s debelim zidovima i balkonima s navučenim zavesama – sigurno je da su se potrudili da sakriju svoju sreću od indiskretnih komšijskih pogleda, a ja im svakako ništa ne bih mogla, ama baš ništa, koliko god patila, koliko god bila besna, ne bih mogla da razbijem paravan iza kog se kriju i da i njih unesrećim svojom nesrećom.

Dugo sam lutala mračnim ulicama, praćena neopravdanom uverenošću, tom uverenošću koju nazivamo predosećajem, proizvodom naše mašte i želja, da su u blizini, iza kakvog ulaza ili u nekom ćošku, iza prozora, da su se možda, videvši me, povukli poput prestupnika koji uživaju u svom prestupu.

Međutim, ne postigoh ništa, vratih se kući oko dva sata izjutra, iznurena od razočaranja. Parkirah auto u ulici i prelazeći preko trga ugledah Karanovu senku kako se približava ulazu. Kutija s muzičkim instrumentom štrčala mu je na leđima poput žaoke.

Osetih potrebu da ga pozovem po imenu, usamljenost koju sam osećala beše mi postala nepodnošljiva, bilo mi je potrebno da razgovaram s nekim, da se svađam, da vičem. Ubrzah korak kako bih ga sustigla, ali on zamače u ulaz. Sve i da sam potrčala (a na to se nisam usuđivala iz straha da će se asfalt pod mojim nogama otvoriti, da će se park, drveće pa čak i tamna površina reke razdvojiti), ne bih ga sustigla pre nego što uđe u lift. Pa ipak, spremala sam se na to kad na tlu obasjanom uličnom svetiljkom primetih nekakav predmet.

Sagnuh se, bila je to plastična futrola s vozačkom dozvolom. Otvorih je i videh muzičarevo lice, samo mnogo mlađe. Aldo Karano bio je rođen u nekoj varošici na Jugu, na osnovu datuma rođenja izračunah da mu je skoro pedeset tri godine, da će ih napuniti u avgustu. Sada sam imala opravdan razlog da mu pozvonim na vrata.

Stavih dokument u džep, uđoh u lift, pritisnuh dugme s brojem četiri.

Činilo mi se da se lift kreće sporije nego inače, njegovo brujanje koje je remetilo apsolutnu tišinu ubrzavalo mi je otkucaje srca. Međutim, kada se lift zaustavi na četvrtom spratu osetih kako me hvata panika, bez oklevanja pritisnuh broj pet.

Kući, smesta kući. Šta ako su se deca probudila, šta ako me traže po praznim sobama? Dozvolu ću Karanu vratiti sutra. Zašto da kucam na vrata jednog neznanca u dva sata posle ponoći?

Ogorčenost i potreba da se revanširam, da na nekome isprobam obezvređenu moć sopstvenog tela, u glavi su mi pravili zbrku koja me je sprečavala u donošenju razumnih odluka.

Da, kući.

## 10.

Već narednog dana zaboravih na Karana i njegovu vozačku dozvolu. Deca samo što behu otišla u školu kad primetih da mi je kuća pod invazijom mrava. To se događalo svake godine u ovo doba, čim bi počele letnje vrućine. Nadirali su u gustim redovima kroz prozorska okna i s balkona, probijali su kroz parket, žurili su da se opet sakriju, marširali su ka kuhinji u potrazi za šećerom, za hlebom, za džemom. Oto ih je njuškao, lajao je, nehotice ih je raznosio po kući skrivene pod svojim dlakama.

Pojurih da uzmem krpu i prebrisah valjano sve sobe. Natrljah limunovom korom mesta koja su mi delovala najrizičnije. Zatim sedoh da čekam, napeta poput luka. Čim se ponovo pojaviše s preciznošću izdvojih mesta koja su im pružala pristup u stan, ulaze u bezbrojne mravinjake, napunih ih talkom. Kada mi postade jasno da ni limun ni talk nisu dovoljni, odlučih da pređem na insekticid, iako sam se brinula za Otovo zdravlje, znala sam da ima običaj da liže sve što stigne ne vodeći računa o tome šta je bezopasno a šta bi mu moglo naškoditi.

U ostavi nađoh insekticid u spreju. Pažljivo iščitah uputstvo, zatvorih Ota u dečju sobu i naprskah svaki kutak stana škodljivom tečnošću. Učinih to s nelagodom, svesna toga da bi mi udisanje spreja moglo dodatno pogoršati osećaj gorčine koji mi se širio usnom dupljom. Potom sedoh nanovo da čekam, trudeći se da ne obraćam pažnju na Otovo lajanje i grebanje vrata. Izađoh na balkon da ne bih udisala otrovan vazduh u stanu.

Balkon se protezao nad praznim prostorom poput bazenske trambuline. Osećala se sparina, koja kao da je svojom težinom pritiskala nepokretno drveće u parku i plavu površinu reke Po, siva i plava vesla na čamcima i svodove Mosta princeze Izabele. Ispod, ugledah Karana kako se poguren vrti ulicom, očigledno u potrazi za svojom vozačkom dozvolom. Povikah:

„Gospodine! Gospodine Karano!"

Međutim, oduvek sam imala tih glas, nisam umela da vičem, reči su padale na par koraka od mene, poput kamenčića bačenih dečjom rukom. Želela sam da mu kažem da je njegov dokument kod mene, ali se on i ne okrenu. Nastavih da ga u tišini posmatram s petog sprata, mršavog ali širokih ramena, guste sede kose. Osećala sam kako u meni raste odbojnost prema njemu, odbojnost koja je postajala sve snažnija što sam više bila svesna njene iracionalnosti. Ko zna kakve tajne muškarca bez žene krije, možda mušku opsednutost seksom, taj kult veličanja one stvari koji ih ne napušta ni u poznim godinama. Sigurno ni on nije u stanju da misli ni o čemu drugom osim o sve slabijem mlazu sperme, mora da je jedino zadovoljan kad se uverava da još može da mu se digne, poput lišća sasušene biljke kad je zaliju vodom. Neotesan u dodiru s telima žena koje mu se nađu na putu, ishitren, prljav, sigurno mu je jedini cilj da lupa recke, da širi ženske noge, poput opsesivne preokupacije. Još bolje ako je koža mlada i glatka, ah te prednosti čvrste zadnjice! Mora da tako razmišlja, takve misli sam mu pripisivala dok je u meni ključao bes. Prenuh se tek kad pogledavši nadole primetih da Karanove vitke figure više nema u dvorištu.

Vratih se u stan, miris insekticida beše oslabio. Počistih metlom crna beživotna tela mrava, stisnutih usana ponovo žustro pobrisah podove, pustih Ota iz sobe u kojoj je očajno lajao. Međutim, s gađenjem otkrih da je sada dečja soba pod invazijom. Iz loše spojenih starih daščica parketa izbijale su u redovima te crne izvidnice, odlučno i energično, plašljivo jureći nekud.

Bacih se nanovo na posao, nije mi preostajalo ništa drugo, sada pak bezvoljno, obeshrabrena osećanjem da je sve uzaludno. Sve mi je teže bilo da nastavim što sam više razmišljala o mravljoj invaziji kao o pobuni aktivnog i neumoljivog života koji ne posustaje ni pred kakvom preprekom, već pred svakom blokadom u sebi pronalazi novu upornu i nezaustavljivu želju da tera po svome.

Nakon što sam naprskala insekticid i po toj sobi, stavih povodac Otu i pustih ga da me vuče stepenicama, sprat za spratom, snažno dahćući.

## 11.

Pas je jurio ulicom, nezadovoljan time što ga moj stisak sprečava da potrči brže, što mu se ogrlica urezuje u vrat. Prođoh pored ostataka zelene podmornice koja se toliko sviđala Đaniju, uđoh u tunel pun nepristojnih grafita, počeh da se penjem ka borovom šumarku. U to doba dana su se majke – brojne grupice pričljivih majki – smeštale u senku drveća, zatvarajući se u krug sačinjen od dečjih kolica, poput kolonija tokom predaha u vestern filmovima, ili su nadzirale malu decu koja su se na par koraka od njih igrala loptama. Većina nije volela da vidi pse bez povoca. Projektovale su svoje strahove na zveri, plašile su se da će im ujesti decu, da će uprljati mesta na kojima se igraju.

Vučjak je patio, želeo je da juri i da se igra, ali nisam znala šta da mu radim. Osećala sam da su mi nervi dovoljno zategnuti, želela sam da izbegnem eventualne sukobe. Bolje zadržavati Ota cimajući povodac nego se svađati s neznancima. Uđoh u šumarak nadajući se da tamo neće biti gnjavatora. Pas je sada uzbuđeno njuškao zemlju pod šapama. Oduvek sam se malo starala o njemu, ali bio mi je drag. Mario je bio taj koji se brinuo o njemu, koji se s njim igrao, koji ga je puštao da slobodan juri do mile volje. Sada, kada moj muž beše nestao, dobroćudna zverka se privikavala na njegovo odsustvo pomalo setno i lajući nezadovoljno što ne poštujem davno uspostavljene navike. Na primer, Mario bi ga sigurno već davno pustio s lanca, čim bi izašli iz tunela, započeo bi razgovor s gospođama na klupicama kako bi ih odobrovoljio i uverio da je pas dobro dresiran, da voli decu. Ja sam, međutim, čak i u šumarku, želela da se sasvim uverim da nikoga neće razljutiti, i tek ga tada pustih na slobodu. Bio je van sebe od radosti, jurio je na sve strane.

Podigoh sa zemlje jedan prut, zavitlah njime po vazduhu, prvo tromo, a potom s više odlučnosti. Sviđao mi se zvuk koji je prut pravio, bila je to igra koju sam pamtila iz detinjstva. Sećam se da jednom bejah pronašla takav vitak prut u dvorištu i sekla sam njime vazduh terajući ga da fijuče. Tom prilikom čuh da se naša komšinica, pošto joj nije pošlo za rukom da se otruje, utopila negde u blizini oblasti Mizenskog vrha. Vest se prenosila s prozora na prozor, s jednog sprata na drugi. Moja majka me smesta pozva da se vratim kući, bila je nervozna, na mene se često ljutila bez ikakvog razloga, ne bejah uradila ništa što nisam smela. Ponekad sam imala utisak da joj nisam draga, kao da na mome licu vidi neki deo sebe koji prezire, neku svoju tajnu boljku. Tom prilikom mi je zabranila da silazim u dvorište i da se muvam po stepeništu. Ostadoh da sedim u jednom ćošku stana zamišljajući sirotičino telo bez vazduha, puno vode, srebrnkastu sardelu koju treba usoliti. Svaki naredni put kada bih fijukala prutom po vazduhu na pamet mi je padala ona, žena u salamuri. Čula sam zvuke davljenja i kako čitave noći pluta vodom, sve do Mizenskog vrha. I sada, razmišljajući o njoj, osetih potrebu da snažnije sečem vazduh prutom, kao što sam to činila kao devojčica, kako bih rasterala duhove. Što sam jače zamahivala, fijukanje je postajalo sve glasnije. Prasnuh u smeh, bila sam žena od trideset osam godina i sa ozbiljnim problemima koja se i dalje igra detinjih igara. Da, rekoh sebi, zašto da ne, zašto da se ne prepuštam maštarenju o besmislicama, zašto da se ne igram i sad kad sam odrasla, kako bih se razveselila, kako bih se umorila. Nastavih da se smejem, mlatarajući vitkim dugim prutom, sve glasnije i glasnije.

Prestadoh da se smejem tek kad začuh vrisku. Vrištala je jedna mlada žena, devojka koja se beše iznenada pojavila u dnu staze. Visoka ali ne i krupna, ispod bele kože naziralo joj se snažno telo, imala je i naglašene crte lica, izrazito crnu kosu. Vrištala je, čvrsto stežući dečja kolica iz kojih se čuo plač novorođenčeta. Oto je za to vreme preteći lajao na njih i sam uplašen njenom vriskom i dečjim plačom. Pojurih ka njima dovikujući naredbe psu: miran, miran! On pak nastavi da laje, a žena mi povika:

„Znate li da morate da ga držite na povocu? Znate li da mo-
rate da mu stavite brnjicu?"

Glupača jedna. Njoj je trebala brnjica. Ne mogoh se suzdr-
žati, to joj i povikah.

„Imaš li trunku mozga u glavi? Počela si da se dereš i upla-
šila si dete, koje je onda i samo počelo da se dere, i zajedno
ste uplašili psa koji zato laje! Zakon akcije i reakcije, jebem
mu mater! Treba sebi da staviš brnjicu!"

Ona odvrati s podjednakom agresivnošću. Vikala je na
mene i na Ota, koji nije prestajao da laje. Potegnu i muža,
reče da on zna kako da postupi u ovakvim prilikama, da će
jednom za svagda rešiti problem pasa koji slobodno jure po
parkovima, povika da su zelene površine za decu a ne za zve-
ri. Potom podiže uplakano dete iz kolica i privi ga na grudi
mrmljajući umirujuće reči, ne znam da li njemu ili sebi sa-
moj. Naposletku, prosikta razrogačenih očiju gledajući u Ota:

„Vidite li? Čujete li ga? Ako mi nestane mleka zbog njega,
platićete mi to!"

Možda zbog tog pomena mleka, šta znam, osetih kao da me
je udarila u stomak, najednom kao da se prenuh iz sna, kao
da mi se probudiše čula. Iznenada sagledah Ota onakvog ka-
kav je zaista bio, oštrih očnjaka, podignutih ušiju, nakostre-
šene dlake i divljeg pogleda, svaki mišić na njemu delovao je
spremno na skok, lajao je preteći. Zaista je delovao zastrašu-
juće, nisam znala šta ga je snašlo, kao da se beše pretvorio u
nekog drugog psa, opasnog i nepredvidivog. Glupi zli vuk iz
bajki. On to čini namerno – ubedih sebe – kako bi mi iskazao
neposlušnost, nije hteo da sedne i da umukne, kako sam mu

naredila, već nastavlja da laje dodatno pogoršavajući situaciju. Povikah mu:

„Dosta, Oto, prestani!"

Pošto nije prestajao, podigoh preteći prut koji sam držala u ruci, ali on ni tad ne umuknu. Razbesneh se, ošinuh ga snažno. Čuh zvižduk i videh njegov začuđen pogled kada oseti udarac po uvu. Glupi, glupi pas koga je Mario kao štene poklonio Ilariji i Đaniju, koji je odrastao u našem domu, koji je izrastao u dobrodušnu zverku, koga je moj muž zapravo poklonio samom sebi. Još od malih nogu je maštao da će jednog dana imati takvog psa, nije time ispunjavao želju naše dece, razmaženi pas, zver kojoj je uvek polazilo za rukom da istera po svome. Sada sam vikala na njega: „Zveri, zverino jedna!", i osećala sam kako se povinuje mojim udarcima, sa svakim udarcem sve više se spuštao na zemlju, cvileo je sklupčan, spuštenih ušiju, nepokretan i tužan pred tom neobjašnjivom bujicom udaraca.

„Šta to radite?", promrmlja žena.

Pošto joj ne odgovorih već nastavih da šibam Ota, žurno se udalji gurajući kolica jednom rukom, prestrašena, sada više ne vučjakom, nego njegovom vlasnicom.

## 12.

Kada toga postadoh svesna, zaustavih se. Posmatrala sam ženu kako maltene trči stazom podižući prašinu za sobom, a zatim čuh Otovo cviljenje, beše spustio glavu među šape, bio je nesrećan.

Bacih prut, sklupčah se uz njega, počeh da ga mazim i tako ostadoh dugo. Šta sam mu to učinila? Bila sam van sebe, iskalila sam bes na sirotoj zverki koja nije znala šta ju je snašlo. Za njega je to bio žestok potres zato što je došao iz vedra neba, nije ga očekivao. Unela sam nered u njegovu svest o realnosti, u njegovo iskustvo, sada mu više ništa nije bilo jasno. Da, siroti moj Oto, da, nastavih da mrmljam ne znam ni sama koliko dugo.

Vratismo se kući. Otvorih ulazna vrata, uđoh u stan. Osetih međutim da stan nije prazan, da u njemu ima nekoga.

Oto pojuri hodnikom, ponovo mu se behu vratili živahnost i veselost. Pojurih u dečju sobu, tamo zatekoh Ilariju i Đanija na svojim krevetima, sa školskim rančevima na podu, uputiše mi zbunjene poglede. Pogledah na sat, bejah sasvim zaboravila na njih.

„Šta to smrdi?", upita Đani, gurajući Ota od sebe.

„Insekticid. Imamo mrave u kući."

Ilarija poče da kenjka:

„Kad ćemo da jedemo?"

Slegnuh ramenima. U glavi mi se rojila bujica pitanja a istovremeno stadoh objašnjavati deci da nisam bila u prodavnici, da nisam skuvala ručak, da ne znam šta ćemo da jedemo, da su za sve krivi mravi.

Potom zaćutah. Bejah se prisetila pravog pitanja:

„Kako ste ušli u stan?"

Da, kako su ušli u stan? Nisu imali ključeve, nikad im ih nisam dala, sumnjala sam da umeju da se snađu s bravom. Pa ipak, bili su tu, u svojoj sobi, poput kakvih utvara. Privih ih uz sebe snažno, grlila sam ih kako bih se uverila da su oni stvarni, od krvi i mesa, da se ne obraćam priviđenjima.

Đani odgovori:

„Vrata su bila otvorena."

Uputih se ka vratima da ih ispitam. Ne videh tragove nasilnog otvaranja, ali uostalom u tome nije bilo ničeg čudnog, vrata su bila stara, nije bilo potrebno bogzna šta kako bi se otvorila.

„U kući nije bilo nikoga?", upitah decu vidno zabrinuta, misleći u sebi: šta ako su deca iznenadila provalnike, koji se sad negde kriju?

Obiđoh stan čvrsto privijajući decu uz sebe, ohrabrena time što je Oto i dalje veselo trčkarao oko nas ne pokazujući znake uznemirenosti. Pretražih čitav stan, ne nađoh ništa. Sve je bilo u savršenom redu, čisto, nije bilo čak ni mrava.

Ilarija nastavi da navaljuje:

„Šta ćemo da jedemo?"

Spremih omlet. Đani i Ilarija svoje brzo smazaše, ja pojedoh samo malo hleba i sira. Bila sam rasejana, pometeno sam slušala njihovu priču, šta su radili u školi, šta je rekao taj i taj školski drug, ko ih je nečim uvredio.

U sebi sam razmišljala: provalnici prave nered, pootvaraju fioke i ormare, ukoliko ne nađu ništa vredno krađe, svete se tako što unerede posteljinu, popišaju se po stanu. Međutim, to nije uvek bio sučaj. Prisetih se jednog slučaja od pre dvadeset godina, dok sam još živela u kući mojih roditelja, koji je pobijao sve druge priče o ponašanju provalnika koje bejah čula. Vratili smo se kući i videli da su vrata obijena, ali kuća je bila u savršenom redu. Nije bilo čak ni tragova ružne odmazde. Tek smo nekoliko sati kasnije otkrili da je nestala jedina dragocenost koju smo imali, zlatan sat koji moj otac beše poklonio mojoj majci pre više godina.

Ostavih decu u kuhinji i pođoh da proverim da li je novac i dalje na mestu gde ga obično čuvam. Bio je tamo. Međutim, nije bilo minđuša Mariove bake. Nisu bile na uobičajenom mestu, u fioci toaletnog stočića, niti igde drugde u stanu.

## 13.

Tu noć i naredne dane provedoh u razmišljanju. Osećala sam se kao da vodim bitku na dva fronta: s jedne strane, trudila sam se da se čvrsto uhvatim za stvarnost i da ne pustim da me u sebe uvuku maštarije i misli, s druge strane, trudila sam se da očvrsnem, da postanem poput salamandra koji je u stanju da prođe kroz vatru a da pritom ne oseti bol.

Ne podleži, hrabrila sam sebe. Bori se. Više od svega plašilo me je to što sam bila sve nesposobnija da zadržim tok misli, da se usredsredim na jednu neophodnu radnju. Plašile su me nagle promene, sve čime nisam bila u stanju da upravljam. Mario, pisala sam kako bih se ohrabrila, nije sa sobom odneo čitav moj svet već samo sebe. A ti nisi ista žena koja si bila pre trideset godina. Tebi je mesto u sadašnjosti, čvrsto se uhvati za nju, ne daj da te prošlost povuče, ne daj da izgubiš sebe, drži se hrabro. Pre svega, nemoj da se upuštaš u rasejane, kivne i besne monologe. Zaboravi na njih. On je otišao, ti si još uvek ovde. Ne uživaš više u njegovom prodornom pogledu, u njegovim rečima, i šta onda? Ojačaj sebe, ne daj da se razbiješ poput kakve porcelanske figure, nisi obična drangulija, nijedna žena to nije. *La femme rompue*, slomljena žena, slomljena malo sutra. Moj zadatak je, uveravala sam sebe, da dokažem da se može sačuvati razum i u mojoj situaciji. Da to dokažem samoj sebi, nikome drugom. Suočena s gušterima, boriću se s gušterima. Suočena s mravima, boriću se s mravima. Suočena s provalnicima, boriću se s provalnicima. Suočena sa samom sobom, boriću se sa samom sobom.

U međuvremenu sam se pitala: ko je to upao u stan, ko je uzeo samo minđuše i ništa više? Odgovor je bio očigledan: on. Uzeo je minđuše svoje bake. Želeo je da mi stavi do znanja da više nisam poput njegove krvi, da sam sada stranac, da me je sasvim izbacio iz svog života.

Potom sam pak odbacivala tu misao, bila mi je nepodnošljiva. Govorila sam sebi: čuvaj se. Drži se teorije o provalnicima. Možda o narkomanima, koji su upali u stan zbog neodložne potrebe za novom dozom. Moguće je, vrlo verovatno. I kako bih sebe sprečila da nastavim da fantaziram, prekidala sam pisanje, odlazila sam u hodnik, pažljivo sam otvarala i zatvarala vrata. Potom sam se hvatala za kvaku, cimala sam je žestoko i, eto, vrata su se otvarala, mehanizam nije radio, opruga se beše istrošila, jezičak brave jedva da je ulazio u okvir, svega milimetar. Vrata su delovala zatvoreno, a bilo je dovoljno jače ih cimnuti kako bi se otvorila. Stan, moj život i životi moje dece, sve je bilo na otvorenom, na izvolte, i danju i noću, kome god.

Ubrzo dođoh do zaključka da moram promeniti bravu. Ukoliko su u stanu zaista bili provalnici, mogli bi se vratiti.

Ukoliko je to bio Mario, ukoliko je ušao potajno, šta ga je razlikovalo od provalnika? To je onda bilo još gore. Uvukao se u tajnosti u sopstveni dom. Preturao je po poznatim mestima, možda je čak čitao moje beleške i pisma. Mislila sam da će mi srce iskočiti iz grudi, toliko sam bila besna na tu pomisao. Ne, ne sme nikad više da pređe ovaj prag, nikad više, i deca će se složiti sa mnom, nema o čemu da se priča sa ocem koji ulazi u svoj dom poput provalnika i za sobom ne ostavi ni traga, koji ne kaže ni zdravo ni doviđenja, koji ne pita ni kako ste.

I tako, ophrvana čas ogorčenošću čas pukom zabrinutošću, ubedih sebe da treba da promenim bravu na ulaznim vratima. Međutim, prodavci kojima se obratih objasniše mi da, koliko god brave služile da zatvore ulaze svojim košuljicama, sponama, ključaonicama, rezama i jezičcima, sve one se, uz malo volje i snage mogu obiti, otvoriti na silu. Posavetovaše me da, zarad sopstvenog mira, stavim blindirana vrata.

Dugo sam oklevala, nisam mogla laka srca da rasipam novac. Mariovo napuštanje značilo je da će se u bliskoj budućnosti i moja finansijska situacija pogoršati. Pa ipak, naposletku se odlučih i počeh da obilazim specijalizovane radnje kako bih uporedila cene i ponude, prednosti i mane. Nakon sedmica opsesivnog istraživanja i pregovaranja izabrah vrata, i jednog jutra dođoše u stan dvojica radnika, jedan u tridesetim godinama, drugi u pedesetim, obojica su oko sebe širila miris duvana.

Deca su bila u školi, Oto je lenčario u jednom kutku ne pokazujući ni trunku interesovanja za neznance, ja ubrzo počeh da osećam nelagodu. To mi zasmeta, smetala mi je svaka promena koju sam primećivala u svom uobičajenom ponašanju.

U prošlosti sam uvek bila ljubazna prema svakome ko bi pokucao na vrata: radnicima iz elektrodistribucije, upravniku zgrade, vodoinstalaterima, tapetarima, čak i prema trgovačkim putnicima i trgovcima nekretninama koji su tražili stanove za prodaju. Smatrala sam sebe samouverenom ženom, ponekad sam razmenjivala i pokoju reč s neznancima, sviđalo mi se da pokazujem učtivo interesovanje za njihove živote. Bila sam do te mere sigurna u sebe da sam ih puštala da uđu u stan, zatvarala sam vrata, nudila im da popiju nešto. S druge strane, moj izgled i ponašanje mora da su uglavnom delovali do te mere ljubazno ali i distancirano da nikome od posetilaca nikad nije padalo na pamet da izgovori ništa što bi moglo biti protumačeno kao manjak poštovanja niti da izgovore kakvu dvosmislenost, kako bi videli moju reakciju i procenili moju seksualnu raspoloživost. Ova dvojica, međutim, smesta počeše da razmenjuju aluzije, da se smejulje, da ispod glasa pevuše vulgarne pesmice dok su nevoljno obavljali posao zbog koga su bili tu. Tada se u meni javi sumnja da se u mome telu, u mojim pokretima, u mome pogledu pojavilo nešto nad čime nemam kontrolu. Uznemirih se. Šta su to videli na meni? Da skoro tri meseca ne delim krevet s muškarcem? Da ne pušim onu stvar niti imam ikog da me liže dole? Da se ne tucam? Je li to bio razlog za to što ta dvojica nisu govorila ni o čemu drugome osim o ključevima, o rezama i bravama? Jel' trebalo da i samu sebe blindiram, da postanem nedodirljiva? Postajala sam sve nervoznija. Energično su lupali čekićima i pušili, ne upitavši pritom za dozvolu, širili su duvanski dim po čitavom stanu a ja nisam znala šta da radim.

Povukoh se u kuhinju povedovši sa sobom Ota, zatvorih vrata za sobom i sedoh za sto, pokušah da čitam novine. Nisam, međutim, uspevala da se usredsredim, dizali su preveliku buku. Ostavih novine, bacih se na kuvanje. Potom se pak zapitah zašto tako postupam, zašto se krijem u sopstvenom domu, kakvog to ima smisla, rekoh sebi da je dosta. Nakon izvesnog vremena vratih se u hodnik gde su njih dvojica postavljali ragastov u stari okvir vrata.

Donesoh im piva, dočekaše me s očiglednim oduševljenjem. Naročito stariji, koji ponovo poče s vulgarnim aluzijama, možda je samo pokušavao da bude duhovit, možda nije znao za drugačiji način. Bez svesti o tome šta ću učiniti – kao da je moje grlo samo propuštalo vazduh kroz glasne žice – odgovorih mu, smejući se, s još vulgarnijom aluzivnošću, i pošto primetih da sam ih iznenadila, ne sačekah ni da odgovore već nastavih da nižem prostakluke, a njih dvojica se stadoše zbunjeno zagledati, uputiše mi poluosmeh, ostaviše poluispijena piva po strani i nastaviše da rade žustrije nego pre.

Nakon par sekundi hodnikom je odzvanjalo samo uporno čekićanje. Ponovo osetih nelagodu, ovoga puta nepodnošljivu. Obuze me sram što stojim tu kao da čekam da mi nepoznati muškaci upute druge vulgarnosti. Neko vreme sam postiđeno stajala iza njih, zamoliše me par puta da im dodam neku alatku, ali bez smejuljenja, s prenaglašenom učtivošću. Pokupih čaše i pivske flaše, vratih se u kuhinju. Šta mi se to događa? Jesam li to dosledno nastavljala da se unižavam, jesam li se sasvim predala, jesam li izgubila svaki osećaj za meru?

U izvesnom trenutku radnici me pozvaše. Behu završili. Po-
kazaše mi kako vrata funkcionišu, predadoše mi ključeve. Sta-
riji mi reče da, ukoliko naiđem na poteškoće, ne oklevam da
im telefoniram, pruži mi debelom prljavom rukom vizitkartu.
Učini mi se da me sada ponovo posmatra navalentno, ali ne
odreagovah. Obratih pažnju na njega tek kad uvuče ključeve u
sjajne brave i stade isticati značaj pravilnog korišćenja.

„Ovaj ovde treba da uđe vertikalno", reče, „a ovaj drugi ho-
rizontalno."

Posmatrala sam ga zbunjeno, on dodade:

„Budite pažljivi, mehanizam može da se pokvari."

Stade filozofirati drsko i izazivački, zabavljao se:

„Bravu čovek mora da navikne na sebe. Treba da prepoznaje
ruku svog gazde."

Okrenu u bravi prvo jedan a zatim i drugi ključ, učini mi se
da se i sam malo muči. Zatražih da me puste da i ja probam.
Zaključah, a potom otključah obe brave samouverenim po-
kretima, bez poteškoća. Mlađi radnik reče:

„Gospođa ima baš sigurnu ruku".

Platih ih i odoše. Zatvorih vrata i naslonih se na njih leđi-
ma, osećajući zvuk mehanizma koji ih zaključava sve dok ne
nestade svakog zvuka i ponovo osetih mir.

## 14.

Isprva s vratima nisam imala nikakvih problema. Ključevi
su s lakoćom ulazili u brave, okretali su se uz jasno kliktanje,

stekoh naviku da zaključavam vrata i danju i noću, nisam želela nikakva iznenađenja. Međutim, vrata ubrzo postadoše moj najmanji problem, morala sam da vodim računa o toliko stvari, ostavljala sam podsetnike na sve strane: ne zaboravi da uradiš to i to, seti se da treba da završiš to i to. Postadoh rasejana i počeh da brkam ključeve; pokušavala sam da otvorim donju bravu ključem gornje i obrnuto. Silila sam bravu, gurala sam ključeve, obuzimao me je bes. Stizala sam pred vrata ruku punih kesa iz prodavnice, vadila sam ključeve iz džepa i grešila, grešila, grešila. Terala sam sebe da se usredsredim. Zaustavljala sam se pred vratima, navodila sebe da duboko dišem.

Priberi se, govorila sam sebi. I usporenim pokretima, pažljivo sam birala bravu i ključ, maltene ne dišući, sve dok mi okretanje mehanizma ne bi dalo znak da sam uspela, da sam ispravno izvela operaciju.

Međutim, predosećala sam da sa mnom nešto nije u redu, sa svakim danom sve više me je bilo strah. Ta konstantna opreznost, kako bih izbegla greške i bila u stanju da se suočim sa opasnostima naposletku me je do te mere izmorila da mi je bilo dovoljno da pomislim da treba nešto da uradim pa da sebe ubedim da sam to već učinila. Šporet na gas je, na primer, bio moja stara briga. Uveravala sam sebe da sam ugasila ringlu – nemoj da zaboraviš, seti se da treba da ugasiš ringlu! – samo kako bih kasnije otkrila da sam skuvala večeru, postavila sto, raspremila ga nakon jela, ubacila sudove u mašinu za sudove i ostavila plavi plamen da gori u kuhinji čitave noći, da obasjava metalnu ringlu poput vatrene krune,

poput znaka neuravnoteženosti. Kada bih ujutru ušla u kuhi-
nju da skuvam doručak, plamen je i dalje goreo.

Ah, nisam više mogla da se uzdam u svoju glavu. Mario je
uzimao maha, brisao mi je iz misli sve osim svog lika, onog
iz mladosti i ovog sada, čoveka koji je rastao i sazrevao pred
mojim očima, u mom zagrljaju, na mojim usnama. Mislila
sam samo o njemu, o tome kako je moguće da je prestao da
me voli, na to koliko mi je bila potrebna njegova ljubav, da ne
može da me ostavi ovako. Nabrajala sam u sebi sve što mi
duguje. Pomagala sam mu da sprema fakultetske ispite, išla
sam s njim na ispite kad nije imao hrabrosti da na njih ode
sam, ohrabrivala sam ga hodajući bučnim ulicama Fuorigro-
te dok mu je srce damaralo u grudima, osećala sam njegovo
snažno lupanje. Tiskala sam se uz njega kroz grupe studenata
iz grada i iz provincije, brižno posmatrajući njegovo preblede-
lo lice dok sam ga gurala fakultetskim hodnicima. Koliko sam
samo noći probdela kako bih mu pomogla da ponavlja meni
sasvim nerazumljivo gradivo. Žrtvovala sam svoje vreme
kako bih ga posvetila njemu, kako bih ga na taj način osna-
žila. Odrekla sam se sopstvenih želja i stremljenja kako bih
podržala njegove. Zanemarivala sam sopstvene brige kako
bih bila u stanju da umirim njegove kad god mu je to bilo
potrebno. Rasipala sam sopstvene minute i sate, pretvarala
sam ih u njegove, kako bi mogao da se usredsredi. Na sebe
bejah preuzela brigu o kući, o deci, spremanje hrane, kao i
sve sitne svakodnevne obaveze kako bi on tvrdoglavo napre-
dovao, kako bi se izdigao iz našeg porekla bez privilegija. A
sada me je ostavio, odneo je sa sobom sve to vreme, sav moj

uloženi trud, sve moje žrtve, iz vedra neba, kako bi uživao u njihovim plodovima s nekom drugom ženom, s neznankom koja ni prstom nije mrdnula kako bi ga podržala, kako bi mu pomogla da postane čovek kakav je danas. U tome sam videla tako nepodnošljivu nepravdu, tako veliku uvredu, da na mahove nisam bila u stanju da poverujem da mi je to zaista učinio, ubeđivala sam sebe da je izgubio razum, da je zaista zaboravio šta smo sve prošli zajedno, da je u opasnosti i činilo mi se da ga volim više nego ikada, s više bojazni nego strasti, uveravala sam sebe da sam mu potrebna.

Međutim, nisam znala gde da ga potražim. Lea Farako u izvesnom trenutku poreče da je ikad pomenula Trg Breša kao moguće mesto stanovanja, stade me uveravati da sam je pogrešno razumela, da to nije moguće, da se Mario nikad ne bi preselio u tu oblast. Njene reči me razbesneše, osetih da me zavitlava. Ponovo se zavadih s njom, načuh glasine koje su među našim prijateljima kružile o mome mužu, da je ponovo u inostranstvu, možda na odmoru sa svojom kurvom. Nisam htela u to da poverujem, činilo mi se nemogućim da je tako olako zaboravio na mene i na svoju decu, da je odlučio da nestane bez traga na više meseci, da ga nimalo nije bilo briga za Đanijev i Ilarijin raspust, da je podredio njihove potrebe sopstvenim potrebama. Kakav je on to bio čovek? S kakvim sam to čovekom delila život punih petnaest godina?

Beše počelo leto, škole su bile zatvorene, nisam znala šta ću s decom. Vukla sam ih sa sobom po gradu, po vrućini, nevoljne, hirovite i sklone tome da meni pripisuju krivicu za sve:

za to što im je vruće, što raspust provode u gradu, što nisu na moru ili u planinama. Ilarija je neprekidno ponavljala kreveljeći se i bolnim glasom:

„Dosadno mi je!"

„Dosta više!", često sam vikala, u stanu, na ulici, „rekla sam vam da prekinete!", i zamahivala sam rukom kao da hoću da ih udarim, zaista sam želela to da učinim, s mukom sam se suzdržavala.

Njih, međutim, ni to nije smirivalo. Ilarija je navaljivala da proba svih sto deset ukusa koje je obećavala jedna prodavnica sladoleda u Ulici Černaja, zaustavljala sam je, a ona se ukopavala u zemlju i vukla me je ka ulazu u kafe-poslastičarnicu. Đani mi je iznenada puštao ruku i sam je pretrčavao ulicu, dok su oko njega vozači trubili, nije nimalo mario za moje uplašene povike, hteo je po hiljaditi put da vidi spomenik Pjetru Miki, o čijem mu je životu Mario često govorio. Mučila sam se da ih zadržim u gradu koji se užurbano praznio i u koji su s brda i sa reke, izbijajući i iz same kaldrme, stizali vreli povetarac i nepodnošljiva sparina.

Jedanput se posvađasmo baš na tom mestu, u parkiću ispred Muzeja artiljerije, ispod zelenkaste statue Pjetra Mike sa sabljom u levoj ruci i sa eksplozivom u desnoj. O tim pričama o mrtvim herojima maltene ništa nisam znala, za mene su predstavljali samo plamen i prolivenu krv.

„Ne umeš da pričaš priče", reče mi moj sin, „ničega se ne sećaš."

Odbrusih mu:

„Obrati se onda ocu."

Zaurlah kako, ako me već smatraju lošom majkom koja ništa ne vredi, mogu slobodno da odu ocu, da će kod njega zateći novu majku, bolju od mene, sigurno poreklom iz Torina, koja o Pjetru Miki i tom gradu kraljeva i princeza, nadmenih i nepristupačnih ljudi i metalnih mašina, zna mnogo više od mene. Sasvim izgubih pribranost, urlala sam bez prekida.

Đani i Ilarija su Torino mnogo voleli, moj sin je dobro poznavao ulice i istoriju, otac ga je često puštao da se igra ispod jedne bronzane statue u dnu Ulice Meuči, da se prepušta glupavom sanjarenju o kraljevima i generalima koji su nekada koračali tim ulicama. Đani je maštao da će kad poraste postati poput Ferdinanda Savojskog, da će poput njega u bici u Novari skočiti s ranjenog konja, sa sabljom u ruci, spreman na borbu. Želela sam da ih povredim, sopstvenu decu, naročito sina, u čijem se govoru već osećao pijemontski akcenat, i Mario beše počeo da se služi torinskim govorom brišući iz govora tragove napolitanskog akcenta. Smetalo mi je to što Đani sebe smatra bezočnom momčinom, što postaje glup, uobražen i sklon nasilju, što mašta o prolivanju vlastite i tuđe krvi u kakvom ružnom okršaju, nisam to više mogla da podnesem.

Ostavih ih tu u parkiću, pored fontane, i nastavih žurno da koračam Ulicom Galileo Feraris, ka statui Vitorija Emanuelea Drugog, ka senci koju su pravile visoke zgrade uzdižući se kroz vreo, maglovit vazduh. Možda mi je namera zaista bila da ih tu zauvek ostavim, da zaboravim na njih, kako bih se kasnije, kad se Mario napokon pojavi i upita za njih, lupila po čelu, kako bih uzviknula: tvoja deca? Nemam pojma. Izgubila sam ih, čini mi se, poslednji put sam ih videla pre mesec dana, u parkiću Citadele.

Nakon izvesnog vremena usporih korak, vratih se nazad. Šta mi se to događa? Gubila sam bliskost s tim nevinim stvorenjima, udaljavali su se od mene kao nošeni morskom strujom. Da ih uhvatim, da ih stegnem uz sebe: moji su. Pozvah: „Đani! Ilarija!"

Ne videh ih, pored fontane nije bilo nikoga.

Osvrnuh se oko sebe dok me je hvatala panika, grlo mi se beše osušilo. Jurila sam parkićem kao da pokušavam da hitrim i neusaglašenim pokretima zadržim žbunje i drveće na jednom mestu, kao da se plašim da će se rasuti u hiljadu krhotina. Zaustavih se pred velikim otvorom jednog turskog topa iz petnaestog veka, moćnog bronzanog cilindra koji se nalazio u dnu leje. Ponovo pozvah decu po imenu. Odgovoriše mi iz unutrašnjosti cevi. Behu se uvukli unutra, ležali su na nekakvom kartonu koji je služio kao postelja ko zna kakvom beskućniku. Ponovo osetih kako mi ključa krv, uhvatih ih za noge, izvukoh ih na silu.

„On je kriv", Ilarija potkaza brata, „on je predložio da se sakrijemo ovde."

Ščepah Đanija za ruku, snažno ga protresoh, zapretih mu besno:

„Znaš li da tu unutra možeš da navučeš nekakvu bolest? Znaš li da možeš da se razboliš i da umreš? Pogledaj me, idiote jedan! Uradi to još jednom pa ću da te ubijem!"

Sin me je posmatrao u neverici. Sa istom nevericom sagledah i sebe samu. Videh ženu u jednoj leji, na par koraka od jednog starog komada oruđa koji sada noću ugošćava živa bića iz udaljenih zemalja i bez nade. Isprva se ne prepoznah. Uplaših se samo videvši da ta žena ima moje srce, da ono lupa u njenim grudima.

## 15.

U tom periodu mučila sam se i s računima. Dobijala sam obaveštenja da će mi tog i tog datuma isključiti vodu ili struju zbog neplaćenih računa. Tvrdoglavo sam tvrdila da sam račune izmirila, provodila sam sate tražeći uplatnice, traćila sam vreme žaleći se preko telefona, svađajući se i pišući žalbe samo kako bih se naposletku poniženo predala pred dokazima da račune nisam platila.

Tako se zbilo i s telefonom. Ne samo da se nastaviše smetnje na koje mi beše ukazao Mario, odjednom više nisam mogla ni da uspostavim liniju: neki glas me je svaki put obaveštavao da nisam pretplaćena na tu uslugu ili nešto slično.

Pošto bejah razbila mobilni telefon, nađoh javnu govornicu i pozvah telefonsku upravu kako bih rešila problem. Stadoše me uveravati da će što je moguće pre preduzeti neophodne mere. Međutim, dani su prolazili a telefon ne proradi. Pozvah ih ponovo, ovoga puta van sebe od besa, glas mi je podrhtavao. Stadoh se žaliti s takvom agresijom da službenik nadugo zaćuta, a potom proveri nešto u svom kompjuteru i saopšti mi da mi je ukinuta pretplata na telefon zbog neplaćenih računa.

Razbesneh se, stadoh se kleti u svoju decu da sam račun platila, izvređah ih sve redom, od najsitnijih činovnika do generalnog direktora, govorila sam im o istočnjačkom nemaru (baš se tako izrazih), o dugotrajno lošoj usluzi, o sitnim i krupnim vidovima korumpiranosti koja vlada Italijom, povikah: svi mi se gadite! Potom spustih slušalicu, proverih uplatnice i otkrih da su mi rekli istinu, račun zaista ne bejah platila.

Platih ga narednog dana, ali situacija se ni tad ne popravi. Telefon mi nanovo priključiše ali se smetnje nastaviše, poput zvukova udaljene oluje u slušalici, signal je bio tako slab da sam sagovornike jedva čula. Sjurih se ponovo u obližnji bar da telefoniram, rekoše mi da možda treba da promenim telefon. Možda. Pogledah na sat, malo je falilo do vremena zatvaranja poslovnica. Izađoh navrat-nanos.

Vozila sam pustim gradom, avgustovska vrelina bila je nepodnošljiva. Parkirah se udarivši više puta u branike automobila ispred i iza mene, potražih pešice Ulicu Meuči, uputih besan pogled zgradi prošarane mermerne fasade u kojoj se nalazilo sedište telefonske uprave, popeh se stepeništem preskačući po dva stepenika. Na ulazu zatekoh jednog ljubaznog čoveka, neradog da se svađa. Rekoh mu da tražim odeljenje za žalbe, da mi je hitno potrebno da to završim, da hoću da se žalim na višemesečnu lošu uslugu.

„Nemamo odeljenje za žalbe već nekih deset godina“, odgovori mi.

„Kako onda da se žalim?“

„Telefonom.“

„A ako hoću nekome da pljunem u lice?“

Smirenim glasom me posavetova da okušam sreću u sedištu u Ulici Konfjenca, na stotinak metara odatle. Pojurih zadihano kao da se radi o pitanju života ili smrti, poslednji put sam tako trčala kad sam bila Đanijevih godina. Međutim, ni tamo ne nađoh način da se izduvam. Naiđoh na zatvorena staklena vrata. Snažno ih protresoh iako je na njima stajao natpis: „Vrata sa sistemom za uzbunu". Sistem za uzbunu, kakav smešan način izražavanja, nek slobodno zapišti alarm, šta je mene za to briga, nek se uzbuni čitav grad, čitav svet! Kroz prozorčić sa moje desne strane proviri neki čovek neraspoložen za priču koji mi uputi par reči a potom ponovo nestade: nemamo poslovnice otvorene za javnost, sve se svelo na telefonske odnose, na kompjuterske ekrane, imejl, bankarske usluge, ukoliko neko – reče mi ledenim glasom – želi da iskaljuje bes na nama, žao nam je, ovde za tu uslugu nemamo nikoga.

Od nezadovoljstva poče da me boli stomak, nađoh se ponovo na ulici i osetih kako mi ponestaje daha, uplaših se da ću se onesvestiti. Zagledah se u natpis urezan u fasadu zgrade preko puta, kao da će me reči održati na nogama. *Iz ove kuće zakoračio je u život, poput seni iz kakvog sna, jedan pesnik po imenu Gvido Gocano, koji je iz tuge ništavila* – zašto je to ništavilo tužno, čega to ima tužnog u ništavilu – *prešao u božje ruke.* Reči koje pokušavaju da budu umetnost, tu umetnost vezivanja reči u lance. Udaljih se pognute glave, uplaših se da sam razgovarala sama sa sobom, jedan prolaznik me je fiksirao pogledom, ubrzah korak. Nisam mogla da se setim gde sam ostavila auto, nije mi ni bilo bitno da se setim.

Nastavih da lutam besciljno, prođoh pored Pozorišta Alfjeri, nađoh se u Ulici Pjetra Mike. Osvrnuh se oko sebe dezorijentisano, auto sigurno nisam ostavila tu. Umesto auta, ispred izloga jedne juvelirnice ugledah Marija s njegovom novom ženom.

Ne znam da li sam je odmah prepoznala. Osetih se samo kao da me je neko udario pesnicom u stomak. Možda sam prvo primetila koliko je mlada, tako mlada da je Mario pored nje delovao kao starac. Možda sam, pre svega, primetila njenu plavu letnju haljinu, u retro stilu, od onih što davno behu prestale da se nose i koje su se sada mogle naći samo u luksuznim radnjama korišćene odeće, haljinu koja je odudarala od njene mladosti ali joj se nežno pripijala uz vijugavo bujno telo, uz dug vrat, grudi, kukove i uz gležnjeve. Ili mi je pogled privukla njena bujna kosa, plave kovrdže skupljene na temenu, u mestu ih je držala ukosnica, osetih se hipnotisano.

Zaista ne znam.

Svakako mi je pažnju neko vreme držala mekoća njenog dvadesetogodišnjeg tela pre nego što sam ugledala oštre, uglaste, još uvek detinje crte lica male Karle, adolescentkinje koja se nalazila u središtu naše bračne krize pre pet godina. Jedino sigurno je da su me, tek nakon što sam je prepoznala, poput groma, pogodile minđuše koje je imala na sebi, minđuše Mariove bake, moje minđuše.

Visile su joj sa ušnih resica, elegantno su joj isticale dug vrat, isticale su joj osmeh čineći da deluje još blistavije dok ju je moj muž, stojeći pred izlogom, obavijao rukama oko struka poput ponosnog vlasnika, a ona ga je grlila oko ramena jednom nagom rukom.

Vreme kao da se beše usporilo. Pređoh ulicu dugim odlučnim korakom, nisam osećala potrebu da zaplačem ili da vičem, niti da tražim objašnjenja, samo mahnitu želju za razaranjem.

Beše mi postalo jasno da me je pet godina kljukao lažima.

Proveo je skoro pet godina uživajući u tajnosti u njenom telu, negovao je tu strast, dopustio da preraste u ljubav, strpljivo je spavao pored mene prepuštajući se maštanju o njoj, čekao je da postane punoletna, i više nego punoletna, kako bi se odlučio da mi saopšti da je sada sasvim njen, da me ostavlja. Kakav bednik, kakva kukavica. Bio je toliki podlac da nije smogao snage ni da mi kaže šta se zaista dogodilo. Sve ove godine pretvarao se da je zadovoljan svojom porodicom, bračnim stanjem, seksualnim odnosima, kako bi sebi kupio vreme, kako bi se izborio sa svojim kukavičlukom, kako bi ga nadjačao i malo-pomalo smogao snagu da me ostavi.

Priđoh mu s leđa. Udarih ga poput ovna unevši u udarac svu svoju težinu, on polete napred, udari licem u staklo. Karla možda nešto povika, ja je ne čuh, samo videh njena razjapljena usta, mračnu rupu okruženu belim, ravnim zubima. Pođoh ka Mariju koji se okrenu ka meni, krvavog nosa, uputi mi zbunjen i preplašen pogled. Znala sam da nije lako kad te neki događaj trgne iz vesele zaljubljenosti i uživanja, i baci te u nered, kad ti se sruši čitav svet. Siroti, siroti muškarac. Ščepah ga za košulju, povukoh ga s takvom silinom da mi u rukama ostadoše desni rukav i deo koji mu je prekrivao leđa. Ostade nagih grudi, nije više nosio potkošulju, nije se više plašio prehlada i upala pluća, sa mnom ga je uvek izjedala hipohondrija. Bilo je očigledno da mu je zdravlje procvetalo, bio je preplanulog tena, beše smršao, lepo je izgledao, samo pomalo smešno zato što je na sebi imao jedan lepo ispeglan rukav, deo leđa košulje i kragnu, mada nakrivljenu, dok mu je ostatak grudnog koša bio nag, iz pantalona su mu visili dronjci košulje, po prosedim maljama na grudima kapala mu je krv.

Udarih ga još jednom, pa još jednom, pade na trotoar. Stadoh ga šutirati, jednom, dvaput, triput ali – ne znam zašto – ne pokuša ni da se odbrani, umesto da štiti rebra pokri rukama lice, možda je u pitanju bio stid, teško je reći.

Kada se zasitih, okrenuh se ka Karli koja još ne beše zatvorila usta. Ona koraknu unazad, ja krenuh ka njoj. Pokušah da je uhvatim, ali mi se izmače. Nije mi namera bila da je udarim, ona je bila obična neznanka, s njom sam se osećala skoro pa mirno. Bila sam kivna samo na Marija, koji joj je dao te minđuše i zato sam zamahivala po vazduhu pokušavajući da joj ih uzmem. Želela sam da joj ih smaknem sa ušiju, da joj pokidam meso, da joj stavim do znanja da nikad neće na sebe preuzeti ulogu naslednice predaka moga muža. Kakve veze ima ona, kurva odvratna, s njegovim poreklom, s njegovim potomstvom? Beše se poslužila svojim međunožjem da mi oduzme ono što mi pripada, što je trebalo da jednog dana pripadne mojoj kćerki. Širila je noge, orosila mu je malo kurac, i verovala da ga je na taj način krstila, „ja te krstim ovom pičkinom svetom vodicom, uranjam tvog đoku u moje vlažno meso i time mu menjam ime, činim ga svojim, *darujem mu novi život*". Glupača jedna. Iz tog razloga, dakle, veruje da ima pravo na sve, da joj sleduje moje mesto, da može da igra moju ulogu, kurva usrana. Daj mi te minđuše, daj mi ih! Htedoh da joj otkinem čitavo uvo, želela sam da za njim skinem čitavo njeno lepo lice sa sve očima, nosom i usnama, i kožom glave pokrivenom plavom grivom, da joj zgulim kožu kao da je u pitanju kakva haljina koja se zakačila za kuku pa se polako skida s nje: grudi, stomak sa sve crevima koja joj vire iz rupe na dupetu, iz duboke pičke zlatom ovenčane. Da je ostavim ogoljenu, onakvu kakva zaista jeste, ružna lobanja umrljana krvlju, odrani leš. Uostalom, šta su lice i koža nego pokrivač, kamuflaža, šminka koja krije nepodnošljive užase naše prirode. A on je na nju pao, pustio je da ga prevari. Zbog tog lica, zbog tog mekanog omotača uvukao se u moj stan. Ukrao mi je minđuše zarad ljubavi prema toj karnevalskoj maski. Htela sam čitavu da je skinem, da, čitavu, sa sve minđušama. Povikah Mariju:

„Pogledaj, sad ću da ti pokažem kakva je ona stvarno!"

On me, međutim, zaustavi. Ne umeša se nikakav prolaznik, zaustavi se samo – čini mi se – pokoji radoznalac da vidi šta se to događa, da me posmatra sa interesovanjem. Sećam se toga zato što za njih, za posmatrače, izgovorih iskidane rečenice kao pojašnjenja, želela sam da im bude jasno čemu to prisustvuju, kakvi se razlozi kriju iza mog besa. Činilo mi se da me pomno slušaju, da žele da se uvere hoću li zaista ispuniti svoje pretnje. Žena može s lakoćom da izvrši ubistvo nasred ulice, okružena svetom, mnogo lakše nego što bi to učinio muškarac. U njenom nasilju posmatrači vide igru, parodiju, nerealnu i pomalo komičnu upotrebu muške odlučnosti da nanese štetu. Karli ne skidoh minđuše sa ušiju samo zato što me je Mario zgrabio s leđa.

Uhvati me i odgurnu, kao da sam kakav predmet. Nikada se prema meni ne beše poneo s tolikom mržnjom. Stade mi pretiti, bio je sav umrljan krvlju, uzrujan. Međutim, njegov lik mi se učini poput jednog od onih lica koja ti se obraćaju s televizijskog ekrana u kakvom izlogu. Odatle, s ko zna kakve razdaljine, možda s razdaljine koja razdvaja istinu od laži, uperi u mene kažiprst ruke na kojoj je još imao rukav košulje. Reči koje mi je uputio ne čuh, ali osetih potrebu da prasnem u smeh, do te mere su mi bili smešni njegova izveštačena dostojanstvenost i zapovedništvo. Smejući se, osetih kako me napušta želja da jurnem da nanovo napadnem, osetih kako me napuštaju sve emocije. Pustih ga da odvede svoju novu ženu, sa sve minđušama na ušima. Uostalom, šta sam drugo mogla, bejah nepovratno izgubila sve, ama baš sve, i sebe samu.

## 16.

Kad se deca vratiše iz škole, rekoh im da nemam volje da kuvam, da ništa nisam spremila, da se snađu sami. Možda zbog mog izgleda ili zbog onoga što naslutiše na osnovu mog malodušnog tona, uputiše se ka kuhinji bez protivljenja. Kada se ponovo pojaviše, stadoše me posmatrati iz jednog ugla dnevne sobe, u tišini, maltene stidljivo. U izvesnom trenutku, Ilarija priđe da mi prisloni svoj dlan na čelo, upita me:

„Boli li te glava?"

Odgovorih da me ne boli, da samo hoću da me ostave na miru. Povukoše se u svoju sobu da rade domaće zadatke, uvređeni mojim ponašanjem, ogorčeni mojim odbijanjem njihove nežnosti. Kad primetih da je pao mrak, prisetih ih se i pođoh da vidim šta rade. Spavali su u odeći, na istom krevetu, jedno pored drugog. Ostavih ih tako i zatvorih vrata.

Bilo je potrebno da se trgnem. Počeh da raspremam stan. Nakon što završih, počeh iznova, patrolirala sam stanom tražeći nešto što nije bilo na svome mestu. Lucidnost, odlučnost, držati se za život. U kupatilu zatekoh uobičajeni nered u kredencu u kome sam držala lekove. Smestih se na pod i počeh da razdvajam lekove kojima beše istekao rok od onih koji su se još mogli iskoristiti. Nakon što svi neupotrebljivi lekovi završiše u smeću i nakon što su ostali bili uredno poređani u kredencu, izabrah dve kutije sredstava za spavanje i ponesoh ih u dnevnu sobu. Spustih ih na sto, nasuh sebi punu čašu konjaka. Sa čašom u jednoj ruci i dlanom druge ruke punim pilula, pođoh ka prozoru kroz koji je s reke i kroz drveće u stan ulazio vlažan i topao povetarac.

Sve je bilo tako slučajno. U mladosti se bejah zaljubila u Marija, a mogla sam se zaljubiti u bilo koga drugog, u neko drugo telo kome bih kasnije pripisala ko zna kakva svojstva. Zaljubiš se u muškarca, provedeš s njim dobar deo života, ubediš sebe da je jedini muškarac na svetu s kojim bi ti moglo biti tako lepo, pripisuješ mu ko zna kakve vrline, a zapravo se radi o običnoj trsci koja ispušta veštačke zvuke, ne znaš ko je on zapravo, ni on sam to ne zna. Našim životima upravlja zakon slučajnosti. Živiš i umireš zato što je neki tamo, jednom davno, iz želje da u tebe gurne onu stvar, prema tebi pokazao naklonost, izabrao te je među drugim ženama. U prostoj želji za tucanjem čini ti se da vidiš ko zna kakve ljubaznosti upućene samo tebi. Voliš tu njegovu želju za tucanjem, do te mere si njom zaslepljena, da naposletku poveruješ da je u pitanju želja za tucanjem s tobom, samo s tobom. Ah da, on, koji je tako poseban, izabrao je tebe, prepoznao je tvoju posebnost. Pripisuješ smisao toj potrebi za tucanjem, personalizuješ je, nazivaš je ljubavlju. Dođavola sa svim, kakva zaslepljenost, kakva neosnovana uverenja. Onako, kako se nekada tucao s tobom sada se tuca s drugom, i šta s tim? Vreme prolazi, jedna ode, druga dođe. Prinesoh pilule ustima, želela sam da spavam dubokim snom, da se izgubim u najmračnijem kutku svoje svesti.

Međutim, u tom trenutku, iz gustih krošnji drveća u parkiću, ispliva Karanova senka s kutijom za instrument na leđima. Nesigurnog koraka i bez žurbe, muzičar prepešači čitav prazan parking – letnje vrućine zaista behu ispraznile grad – i nestade u ulazu. Nekoliko trenutaka kasnije, začuh zvuk pokretanja lifta, njegovo škripanje. Prisetih se iznenada da kod sebe još uvek imam vozačku dozvolu tog čoveka. Oto zareža u snu.

Uđoh u kuhinju, prosuh pilule i konjak u sudoperu, potražih Karanov dokument. Nađoh ga na telefonskom stočiću, maltene skrivenog ispod telefona. Premetala sam ga po rukama, zagledah se u muzičarevu sliku. Na njoj mu je kosa još uvek bila crna, duboke bore oko nosa i uglova usana još se ne behu pojavile. Pogledah datum rođenja, pokušah da se prisetim koji je datum, i postade mi jasno da danas puni pedeset tri godine.

Borila sam se sa sobom. Nosila sam se mišlju da siđem niz stepenice, da mu pokucam na vrata, da se poslužim vozačkom dozvolom kako bih mu se uvukla u stan u kasne sate; ali sam se takođe plašila tog neznanca, noći, tišine koja je vladala čitavom zgradom, rosnih i zagušljivih mirisa koji su se širili iz parka, poja noćnih ptica.

Odlučih da ga pozovem telefonom, nisam želela da odustanem od zamisli, naprotiv želela sam da me on u njoj podrži. Potražih njegov broj u telefonskom imeniku, nađoh ga. Zamišljala sam učtiv telefonski razgovor: baš sam jutros, na Ulici Marinai, pronašla vašu vozačku dozvolu, ukoliko nije previše kasno spustiću se da vam je donesem; a osim toga, moram priznati da mi je za oko zapao vaš datum rođenja pa sam želela da vam čestitam rođendan, *srećan vam rođendan od sveg srca, gospodine Karano, samo što je kucnula ponoć, kladim se da sam prva koja vam je uputila čestitke.*

Kakva patetika. Nikad nisam umela da se koristim umilnim tonovima u razgovoru s muškarcima. Bila sam učtiva, ljubazna, ali bez topline, nisam umela da se kreveljim, da im pogledom stavim do znanja da sam zainteresovana. Patila sam zbog toga tokom čitave adolescencije. Sada mi je, međutim, bilo skoro četrdeset godina, nešto mora da sam naučila. Podigoh slušalicu, dok mi je srce snažno lupalo u grudima, besno je zalupih. Nije se čulo uspostavljanje linije, samo udaljeno šuštanje vetra. Podigoh je i drugi put, okrenuh broj. Šuštanje se nastavi.

Zatvorih oči, osetih se beznadežno, pomislih kako će mi vrelina te noći i moja usamljenost rasporiti srce. Potom videh svog muža. Sada više u zagrljaju nije imao neku nepoznatu ženu. Dobro sam poznavala njeno lepo lice, minđuše na njenim ušima, njeno ime, i telo puno mladalačke bestidnosti. U tom trenutku oboje su bili nagi, tucali su se lagano, bez žurbe, nameravali su čitavu noć da provedu u tucanju, kao što su se zasigurno tucali tokom minulih godina, meni iza leđa, svaki moj očajan uzdah stapao se s njihovim uzdasima zadovoljstva.

Doneh odluku, dosta je bilo bola. Treba na njihovo noćno uživanje da odgovorim istom merom, da se revanširam. Da pokažem da me muž svojim napuštanjem i odsutnošću nije raskomadao, da me nije doveo do ludila, do smrti. Samo je pokoja krhotina izletela iz mene, ako se one zanemare, dobro sam. I dalje sam u jednom komadu, takva ću i ostati. Onom ko me povredi uzvratiću istom merom. Ja sam oštrica mača, ja sam osa koja ubada, ja sam zmija otrovnica. Ja sam nepovrediva životinja koja prolazi kroz vatru, kojoj plamen ne može ništa.

## 17.

Izabrah bocu vina, ubacih u džep ključeve od stana i spustih se na sprat niže, i ne pogledavši se u ogledalo.

Odlučno pritisnuh zvonce na Karanovim vratima dva puta. Ponovo zavlada tišina, osetih kako mi srce snažno lupa. Začuh trome korake, a potom nanovo usledi tišina, Karano me je posmatrao kroz špijunku. Začu se zvuk okretanja ključa u bravi, on je bio čovek koji se plaši mraka, zaključavao je vrata poput kakve usedelice. Pomislih da odjurim nazad u svoj stan pre nego što ih otvori.

Pojavi se preda mnom u bade mantilu iz koga su štrčali mršavi gležnjevi, na stopalima je imao patofne sa znakom nekog hotela, mora da ih je maznuo, zajedno s bočicama šampona, tokom neke od turneja na koje je išao sa svojim orkestrom.

„Srećan rođendan!", rekoh smesta, bez osmeha, „sve najbolje vam želim."

Pružih mu bocu vina u jednoj ruci, vozačku dozvolu u drugoj.

„Pronašla sam je jutros na ulici."

Uputi mi zbunjen pogled.

„Ne bocu", pojasnih, „vozačku dozvolu."

Tek mu tada postade jasno o čemu govorim, reče zbunjeno: „Hvala, bio sam sasvim odustao od nje. Želite li da uđete?"

„Možda je suviše kasno", promrmljah, ponovo osetih kako me steže panika.

Odgovori mi uz stidljiv osmeh:

„Jeste kasno, ali uđite, molim vas... biće mi veoma milo...i hvala vam... kuća je pomalo u neredu... dođite."

Njegov ton mi se svideo. Bio je to ton stidljivog muškarca koji pokušava da pokaže da je svetski čovek, ali bez ubeđenja. Uđoh, zatvorih vrata za sobom.

Od tog trenutka, nekim čudom, počeh da se osećam kao kod kuće. U dnevnoj sobi videh veliku kutiju od njegovog instrumenta i ona mi se učini poznato, poput jedne od onih sluškinja od pre pedeset godina koje su u gradu pazile decu dobrostojećih ljudi. Stan je zaista bio u neredu (na podu su ležale novine, pepeljara puna pikavaca od ko zna kakvog posetioca, na stolu je bila prazna šolja od mleka), ali bio je to prijatan nered čoveka koji živi sam, a uostalom, stan je mirisao na sapun, u vazduhu se još osećala para od tuširanja.

„Izvinjavam se za svoju odeću, samo što sam izašao...“

„Taman posla.“

„Idem po čaše, imam masline i krekere...“

„Zaista nema potrebe, ja sam samo htela da nazdravimo u vaše zdravlje.“

I u moje. Da nazdravimo i za razočaranja, za ljubavna razočaranja koja sam priželjkivala Mariju i Karli. I na to je trebalo da se naviknem, na to novo sparivanje njihovih imena. Ranije se govorilo Mario i Olga, sada se kaže Mario i Karla. Poželeh da ga zadesi neka užasna boljka, da ga razjede tuberkuloza, da mu čitavo telo istruli, da iz njega počne da se širi smrad izdaje.

Karano se vrati sa čašama. Otvori bocu vina, pričeka malo pa ga nasu u čaše, sve vreme mi se obraćajući ljubazno, umirujućim glasom: imam baš lepu decu, često me je posmatrao s prozora dok sam s njima napolju, vidi se da sam dobra prema njima. Ne pomenu psa, ne pomenu mog muža, osetih da su mu podjednako mrski ali da mu se u tim okolnostima, iz ljubaznosti, ne čini učtivim da mi to kaže.

Nakon prve čaše, rekoh to ja. Oto je dobar pas ali ako ćemo iskreno, ja ga nikad ne bih uzela u stan, vučjaci pate kad su zatvoreni. Moj muž je bio taj koji je navaljivao, na sebe beše preuzeo odgovornost za psa, kao uostalom i brojne druge odgovornosti. Naposletku se pak pokazao kao kukavica, nije bio u stanju da ostane dosledan svojim obećanjima i obavezama. Ništa ne znamo o ljudima, čak ni o onima s kojima delimo sve.

„Ja o svom mužu znam isto koliko i o vama, nema tu ni-
kakve razlike", uzviknuh. Duša nije ništa drugo do nestalni
prolazak vazduha, gospodine Karano, obično treperenje gla-
snih žica, samo se pretvara da je nešto drugo. Mario je otišao
– rekoh mu – s devojčicom od dvadeset godina. Varao me je
s njom pet godina, u tajnosti, taj dvolični muškarac. I sada je
nestao, prepustivši mi sve muke: da se sama staram o deci,
kući, čak i o psu, glupom Otu. Savladana sam, rekoh. Odgo-
vornostima, ničim drugim. Za njega, šta me je briga. Ali od-
govornosti, koje smo ranije delili popola, sada su samo moje,
čak i odgovornost za to što nisam umela da održim u životu
naš odnos – održati u životu, kakav besmislen izraz, zašto je
baš na meni bilo da ga održim u životu, dosta mi je tih besmi-
slica – čak i odgovornost da shvatim u čemu smo to pogrešili.
Zašto je meni zapalo da se podvrgavam mučnom procesu sa-
moanalize, čak i u Mariovo ime, on nije želeo time da se bavi,
nije želeo da radi na sebi. On pušta da ga zaslepi njegova pla-
vušica dok ja pokušavam da analiziram, dan za danom, na-
ših petnaest godina zajedničkog života, tome se posvećujem
noću. Želela sam da budem spremna da počnemo iz početka,
čim mu se povrati razum. Ukoliko se to ikad desi.

Karano je sedeo pored mene na kauču, beše pokrio gle-
žnjeve bade mantilom što je više mogao, pijuckao je svoje
vino pažljivo slušajući moje reči. Ni u jednom trenutku nije
se umešao, ali pošlo mu je za rukom da me uveri da ne go-
vorim uzalud, osetih da ni jedna jedina moja reč niti emocija
nisu protraćene, ne zastideh se kad osetih da se spremam
da zaplačem. Briznuh u plač bez skrupula, uverena da me

razume, stomak su mi razdirali snažni trzaji, osećala sam tako snažan bol da pomislih kako su suze delići nekog kristalnog predmeta koji sam u sebi čuvala toliko dugo i koji se sada rasprsnuo u hiljadu komadića. Bolele su me oči i nos, pa ipak, nisam uspevala da se zaustavim. Osetih još veću ganutost kad primetih da ni Karano ne može da se zaustavi, donja usna mu je podrhtavala, i oči mu zasuziše, promrmlja:

„Gospođo, nemojte tako..."

Njegova osećajnost u meni je budila nežnost, tako uplakana spustih čašu na pod i primakoh mu se kao da hoću da ga utešim, ja, kojoj je uteha bila potrebna.

Ne reče ništa ali mi spremno pruži papirnu maramicu. Promrmljah jedno *hvala*, osetih se slomljeno. Reče mi da treba da se smirim, da ne može da podnese moj bol. Obrisah oči, nos i usta, sklupčah se uz njega, napokon trenutak predaha. Spustih lagano glavu na njegove grudi, pustih da mi jedna ruka padne na njegove noge. Nikad ne bih pomislila da sam u stanju da se tako ponašam s jednim neznancem, briznuh nanovo u plač. Karano me obgrli jednom rukom sa oprezom, stidljivo. U stanu je vladala umirujuća tišina, nanovo se primirih. Sklopih oči, bila sam umorna, želela sam da spavam.

„Mogu li malo da ostanem ovako?", upitah, i na tren osetih želju za njim, gotovo neprimetnu, poput daška vetra.

„Možeš", odgovori on, tihim pomalo promuklim glasom.

Možda bejah utonula u san. Na tren pomislih da sam u Karlinoj i Mariovoj sobi. Zasmeta mi, pre svega, snažan miris seksa. U to doba dana mora da su i dalje bili budni, da se znojavi valjaju po posteljini, da požudno guraju jedno drugom jezik u usta. Prenuh se. Nešto mi beše dotaklo vrat, možda su to bile Karanove usne. Podigoh zbunjeno pogled, on me poljubi u usta. Danas mi je jasno šta sam tad osetila, ali tada to nisam znala. U tom trenutku osetih samo nelagodu, kao da mi poljupcem beše dao znak da više nema povratka, osetih, uz gađenje, da mi nema druge nego da nastavim da tonem sve dublje. Ono što sam osetila zapravo je bio talas mržnje prema samoj sebi, zato što se nalazim u toj situaciji, zato što nemam opravdanja, zato što sam se sama odlučila da dođem kod njega, zato što mi se činilo da više ne mogu da se povučem.

„Treba li da počnemo?", upitah ga naizgled veselo.

Karano mi uputi nesiguran osmeh.

„Niko nas na to ne primorava."

„Želiš li to da se povučeš?"

„Ne želim..."

Prisloni ponovo usne na moje, ali mi se ukus njegove pljuvačke ne dopade, ne znam ni da li je zaista bila neprijatna, osetih samo da je drugačija od Mariove. Pokuša da mi uvuče jezik u usta, otvorih ih malo, dotakoh mu jezik svojim jezikom.

Bio je pomalo hrapav, živ, životinjski, poput ogromnih jezika koje sam u par navrata videla u mesari, nije u njemu bilo ničeg ljudskog niti zavodljivog. Zapitah se da li Karla ima moj miris i ukus? Ili su oni Mariju oduvek bili odbojni, kao što su meni sada bili Karanovi, pa je u njoj našao nešto što više prija njegovim čulima?

Uronih sopstveni jezik u Karanova usta s požudom koju nisam osećala, zadržah ga tu dugo, kao da u njima tražim ko zna šta, kao da želim da sprečim taj svoj plen da mu siđe u stomak. Obgrlih ga oko vrata, pogurah ga sopstvenim telom ka uglu kauča i nastavih da ga ljubim dugo, otvorenih očiju, kako bih pogled fiksirala za predmete oko nas, kako bih se uhvatila za njihove konture, kako bih se čvrsto uhvatila za njih. Plašila sam se da ću, ukoliko zatvorim oči, videti Karlu s drskim osmehom na usnama, ta drskost ju je oduvek odlikovala, i kad joj je bilo petnaest godina, ko zna koliko se Mariju sviđala, ko zna koliko ju je puta sanjao dok je spavao pored mene, koliko se puta probudio i poljubio me, misleći da ljubi nju, da bi se potom povukao kad bi prepoznao moja usta, ta usta na koja se beše navikao, bez novih ukusa, usta minulih godina, i nastavio da spava.

Karano mora da je u tom mom poljupcu osetio da je nestalo svakog premišljanja. Stavi mi ruku na teme, pokuša još jače da priljubi moje usne uz svoje. Potom napusti usne, stade mi spuštati vlažne poljupce na obraze, na oči. Pomislih da sledi kakav detaljan istraživački plan, poljubi me čak i u uši, zvuk njegovih poljubaca neprijatno mi odjeknu u bubnim opnama. Potom se spusti na vrat, ovlaži mi svojim jezikom dlačice na vratu istovremeno mi opipavajući grudi širokom šakom.

„Imam male grudi", rekoh tiho, i smesta osetih prezir prema sebi, ta rečenica zazvuča mi kao da se izvinjavam. Izvini što nemam da ti ponudim velike sise, nadam se da ćeš i ovako lepo da se provedeš, kakva sam glupača, ukoliko mu se male sise sviđaju, lepo, ukoliko mu se ne sviđaju, šta da mu radim, ionako su za džabe, sreća koja je tog govnara zadesila

iz vedra neba, najbolji rođendanski poklon koji je mogao da
očekuje u tim godinama.

„Sviđaju mi se", odgovori on tihim glasom dok mi je otkop-
čavao bluzu. Rukom mi zavrnu rub grudnjaka kako bi mi gric-
kao i sisao bradavice. Međutim, i bradavice su mi bile male,
moje grudi su mu bežale iz usta, vraćale su se u grudnjak.
Rekoh mu da priček, odgurnuh ga sa sebe, pridigoh se i ski-
nuh grudnjak. Upitah ga glupo: sviđaju li ti se stvarno, ose-
ćala sam kako u meni narasta nesigurnost, želela sam da mi
ponovi svoje odobravanje.

On me pogleda i reče uz uzdah:

„Lepa si."

Zaista uzdahnu, kao da se trudi da obuzda neku snažnu
emociju ili nostalgiju, pogura me vrhovima prstiju kako bih
se ogoljenih grudi ispružila po njegovom kauču da bi me bolje
osmotrio.

Dopustih mu da me obori na kauč. Posmatrala sam ga odoz-
do, primetih da mu se na vratu vide znakovi starenja, da mu
se u neobrijanoj bradi sijaju sede, da između obrva ima du-
boke bore. Možda je zaista mislio to što mi govori, možda je
zaista očaran mojom lepotom, možda to nisu bile prazne reči
iza kojih se krila želja za seksom. Možda sam i dalje lepa iako
je moj muž zgužvao moje samopouzdanje poput iskorišćenog
ukrasnog papira i bacio ga u kantu. Da, i dalje sam u stanju da
probudim čežnju u muškarcu, i dalje sam žena koja to može,
Mariov beg u neki drugi krevet, u tuđe telo, nije mi to oduzeo.

Karano se nagnu nada mnom, oliza mi bradavice, nasta-
vi da ih sisa. Pokušah da se prepustim, želela sam da iz tela

izbrišem osećaj gađenja i očaj. Oprezno zatvorih oči, osetih vrelinu njegovog daha, njegove usne na svojoj koži, ispustih uzdah ohrabrenja kako za njega tako i za sebe. Nadala sam se da ću osetiti kakvo-takvo zadovoljstvo iako je taj čovek za mene potpuni neznanac, možda muzičar bez ikakvog talenta i bez drugih kvaliteta, bez zavodljivosti, sasvim prosečan i zbog toga sâm.

Osetih kako me ljubi po rebrima, po stomaku, zastade čak i nad pupkom, ne znam šta mu je u pupku bilo zanimljivo, gurnu jezik u njega zagolicavši me. Potom se pridiže. Otvorih oči, videh ga raščupane kose, zacakljenih očiju, na tren pomislih da mu na licu vidim izraz deteta koje je nešto skrivilo.

„Reci mi ponovo da ti se sviđam“, navaljivala sam iskidanim glasom.

„Da“, reče, ali ovog puta manje uverljivo. Položi ruke na moja kolena, raširi ih, zavuče šaku pod moju suknju, stade mi milovati unutrašnjost butina, neosetno, kao da spušta sondu u kakav mračni bunar.

Nije mu se žurilo, ja sam pak priželjkivala da se sve što pre završi. Glavom su mi se sad motale razne misli, šta ako se deca probude, šta ako je Mariju naš burni okršaj otvorio oči, šta ako baš ove noći odluči da se vrati kući. Učini mi se čak da čujem Otovo uzbuđeno lajanje, spremala sam se da to kažem, ali se zaustavih, učini mi se neumesnim. Karano samo što mi beše zadigao suknju, mazio me je preko gaćica dlanom ruke, prelazio je vrhovima prstiju preko tkanine, gurao ju je u mene.

Zastenjah ponovo, htedoh da mu pomognem da mi skine gaćice, on me zaustavi.

„Ne", reče, „pričekaj."

Pomače ih u stranu, pomilova me dole prstima, zavuče ka-
žiprst u mene, promrmlja još jednom:

„Tako si lepa."

Lepa svuda, spolja i iznutra, ah te muške fantazije. Ko zna
da li i Mario sad ovako postupa, sa mnom nikad nije bio tako
usporen. Ali možda i on sada, ove duge noći, na nekom dru-
gom krevetu, širi Karline duge vitke noge i zuri u njeno me-
đunožje delom pokriveno gaćicama, uživa u toj skarednoj
pozi dok mu srce snažno lupa u grudima, možda je svojim
prstima čini još skarednijom. Ili sam možda skaredna samo
ja sada, dok se prepuštam tom čoveku, dozvoljavam da me
dodiruje po skrivenim delovima tela, da bez žurbe gura svo-
je prste u mene, s bezvoljnom radoznalošću čoveka koji zna
da nije voljen. Karla je međutim – Mario je u to verovao, sad
sam u to bila sigurna – zaljubljena mlada žena koja se poda-
je svom ljubavniku. Nijedan njen pokret, nijedan njen uzdah
nije bio vulgaran niti otrcan, ni moje najprostije reči nisu mo-
gle da pokvare pravi smisao njihovog polnog čina. Mogla sam
da govorim pička, kurac, rupa na dupetu do mile volje, njima
te reči nisu mogle ništa. Uticale su, međutim, na mene, dok
ležim na tom kauču, na to kako sam videla sebe u tom trenut-
ku, uznemirenu dok me Karanovi debeli prsti vlaže, budeći u
meni lepljivo zadovoljstvo.

Osetih da ću ponovo zaplakati, stisnuh zube. Nisam znala
šta da radim, nisam želela ponovo da briznem u plač, stadoh
se izvijati, okretala sam glavu čas na jednu čas na drugu stra-
nu, stenjala sam, mrmljala:

„Želiš me, zaista me želiš, reci mi to..."

Karano klimnu glavom, okrenu me na stranu, skinu mi gaćice. Moram da odem odavde, mislila sam u sebi. Saznala sam ono što sam želela da znam. I dalje se sviđam muškarcima. Mario je sa sobom odneo sve ali ne i mene, ne i moje telo, ne tu moju lepu privlačnu masku. Dosta više s dupetom. Grickao mi je guzove, lizao ih je.

„Ne zadnjicu", rekoh mu i sklonih mu prste. On mi ponovo pomilova anus, ja mu ponovo udaljih ruku. Dosta više. Pridigoh se, pružih ruku ka njegovom bade mantilu.

„Da završimo više", uzviknuh, „gde držiš prezervative?"

Karano klimnu glavom ali se ne pokrenu. Povuče ruke s mog tela, iznenada mi se učini obeshrabrenim, spusti glavu na naslon kauča, zagleda se u plafon.

„Ništa ne osećam", promrmlja.

„Kako to misliš?"

„Nemam erekciju."

„Nikad?"

„Ne, samo sada."

„Otkad smo počeli?"

„Da."

Lice mi se zažari od stida. Ljubio me je, grlio, dodirivao, ali mu se kurac nije digao, nisam umela da učinim da mu uzavri krv, uzbudio me je ne osećajući i sam uzbuđenje, glupi kučkin sin.

Otvorih mu bade mantil, nisam sad mogla da odem, između četvrtog i petog sprata više nije bilo stepenica, ukoliko bih pokušala da se popnem naišla bih na bezdan.

Posmatrala sam mu bledunjavi polni organ, mali, skriven u žbunu stidnih dlaka, između otežalih testisa.

„Ništa se ne brini", rekoh mu, „to je od uzbuđenja."

Ustadoh s kauča, svukoh sa sebe suknju, postavih se naga pred njega, ali on to kao da nije ni primetio, pogledom nastavi da fiksira tavanicu.

„Opruži se", naredih mu naizgled staloženim glasom, „opusti se."

Pogurah ga ka kauču, u ležeći položaj, isti onaj položaj u kom sam se do pre par trenutaka nalazila ja.

„Gde su ti prezervativi?"

Osmehnu mi se tugaljivo.

„Nema više nikakve svrhe", ali ipak mi obeshrabreno pokaza jednu komodu.

Pođoh ka njoj, stadoh otvarati fioke dok ne nađoh prezervative.

„Rekao si da ti se sviđam", stadoh navaljivati.

Dodirnu slepoočnicu prstom.

„Da, u glavi."

Nasmejah se besno, rekoh:

„Treba svugde da ti se sviđam", i sedoh mu na stomak okrenuvši mu leđa. Počeh da ga milujem po stomaku spuštajući se polako nadole, prateći trag crnih dlaka koje su mu se završavale u međunožju. Karla se tuca s mojim mužem, a ja ne mogu ni sa ovim usamljenim čovekom kome se sigurno ne pružaju druge prilike, s depresivnim sviračem za kog je trebalo da budem radosno iznenađenje za njegov pedeset treći rođendan. Ona upravlja Mariovim kurcem kao da joj pripada, pušta da joj ga gura u pičku, u dupe, gde ga meni nikad nije stavio, a ja, ja nisam u stanju ni da uzbudim taj sivkasti komad mesa. Uhvatih ga za penis, povukoh nadole kožicu kako bih proverila da nema lezija i stavih ga u usta. Karano ubrzo poče da dahće i stenje, zvuci koje je ispuštao podsetiše me na roktanje. Osetih kako mu se meso nadima u mojim ustima, eto šta je želeo taj govnar, eto šta je očekivao. Napokon mu se kurac čvrsto dizao, kurac koji je bio u stanju da me tuca tako snažno da posle danima osećam bol u stomaku, onako kako me Mario nikad nije tucao. Moj muž ne zna kako da postupa s pravim ženama, usuđuje se samo s dvadesetogodišnjim kurvicama, bez pameti, bez iskustva, koje nisu u stanju da se izruguju.

Karano je sad bio mahnit od zadovoljstva, govorio mi je da stanem, *stani, stani*. Ja se povukoh unazad sve dok mu se moje međunožje nije našlo iznad glave, pustih mu penis i okrenuh se ka njemu s pogledom punim prezira, „poljubi mi je", rekoh, a on me shvati doslovno, poljubi me dole s obožavanjem, čuh zvučno *cmok*. Matorom govnaru su metafore i prenesena značenja kojima sam se služila s Marijom očigledno bili strani, pogrešno me je razumeo, nije znao šta mu to naređujem, zapitah se ume li Karla da odgonetne sugestije mog muža, možda i ume. Pocepah zubima omot prezervativa, navukoh mu ga na kurac, hajde, rekoh mu, hajde, dopadala ti se rupa na dupetu, oduzmi mi nevinost, sa mužem to nikad nisam učinila, želim da mu prepričam do najsitnijih detalja, gurni mi ga u dupe.

Muzičar se s mukom pridiže, ja ostadoh na kauču četvoronoške. Smejala sam se u sebi, nisam uspevala da se suzdržim, zamišljala sam Mariov izraz lica kad mu budem rekla. Međutim prestadoh da se smejem kad osetih Karanovo snažno guranje. Iznenada me obuze strah, zastade mi dah. Životinjska poza, životinjska tečnost i sasvim ljudske podle misli. Okrenuh se da ga pogledam, možda da ga preklinjem da me ne posluša, da odustane. Pogledi nam se ukrstiše. Ne znam šta je on video, ja videh ostarelog čoveka u raskopčanom belom bademantilu, lica oblivenog znojem, usana stisnutih od usredsređenosti. Promrmljah mu nešto, ni sama ne znam šta. Usne mu se rasklopiše, usta se razjapiše, oči se zatvoriše. Potom se tromo pruži po meni. Pridržah se za naslon kauča. Videh beličastu spermu u prezervativu.

„Vidi ti to", rekoh i prasnuh u smeh, skinuh mu kondom s omlitavelog penisa, bacih ga na pod umrljavši ga sluzavom beličastom smesom, „omašio si metu."

Navukoh na sebe odeću i uputih se ka vratima, on krenu za mnom stežući bademantil oko sebe. Osećala sam snažno gađenje prema samoj sebi. Promrmljah, pre nego što ću izaći:

„Ja sam kriva, oprosti."

„Ma ne, ja sam taj koji je..."

Odmahnuh glavom, osmehnuh mu se na silu, naizgled pomirljivo.

„Kako mi je samo palo na pamet da ti tako gurnem dupe u lice, sigurna sam da Mariova ljubavnica to ne radi."

Popeh se stepenicama usporeno. U jednom uglu, naslonjenu na gelender, ugledah sroticu iz davnih vremena koja mi tihim ali veoma ozbiljnim glasom reče: „Ja igram čistu igru, otvorenih karata".

Našavši se pred blindiranim vratima, više puta pogreših ključ, dugo sam se mučila da ih otvorim. Uđoh u stan, sa istom mukom zaključah vrata. Oto uzbuđeno pojuri ka meni, ne obratih pažnju na njega, pođoh ka tušu. Razmišljala sam kako sam zaslužila sve što mi se desilo, čak i grube reči koje sam u mislima sebi upućivala, kojima sam se vređala dok sam nepomično stajala pod mlazom vode. Pođe mi za rukom da se malo umirim ponavljajući sebi naglas: „Volim svog muža, i zato sve ovo ima smisla." Pogledah na sat, bilo je dva i deset izjutra, uvukoh se u krevet i ugasih svetlo. Utonuh u san smesta, nenadano. Zaspah s tom rečenicom na usnama.

## 18.

Kada pet sati kasnije, u sedam sati izjutra, četvrtog avgusta, otvorih oči, pomučih se da shvatim gde se nalazim. Počinjao je najteži dan čitavog perioda moje napuštenosti ali ja toga još nisam bila svesna.

Pružih ruku ka Mariju, bila sam uverena da spava pored mene, međutim u krevetu nije bilo ničega, čak ni njegovog jastuka, lično ga bejah sklonila. Stekoh utisak da se krevet istovremeno raširio i skratio. Možda sam se ja izdužila, pomislih, možda sam smršala.

Osećala sam se otupelo, kao da nemam cirkulaciju, prsti su mi bili otečeni. Videh da prethodne noći nisam skinula prstenje pred spavanje, da ih nisam po običaju spustila na komodu pored kreveta. Osetih njihovo usecanje u domali prst, pomislih da je to stiskanje krivo što se tako loše osećam, što me boli čitavo telo. Pokušah da ga skinem opreznim potezima, ovlažih prst pljuvačkom, ne postigoh ništa. Učini mi se da osećam ukus zlata u ustima.

Zagledah se u tavanicu, pred sobom sam imala beli zid umesto velikog zidnog ormara koji sam videla svako jutro po buđenju. Osetih kako mi noge vise nad provalijom, iznad mene beše nestalo uzglavlja kreveta. Čula mi behu otupela, osećala sam kao da između mojih bubnih opni i sveta, između vrhova prstiju i posteljine imam sloj vate, filca, somota.

Pokušah da prikupim snagu, pridigoh se prvo na laktove, oprezno, u strahu da bih naglim pokretom mogla raspoloviti krevet, ili da ću se ja sama pokidati, kao što se kida etiketa s kakve boce. Primetih da mora da sam se premetala u snu, da bejah napustila svoju uobičajenu stranu kreveta, da mi se po čitavom telu vide tragovi od usecanja znojem ovlažene posteljine. To mi se nikad nije događalo, obično sam spavala sklupčana na svojoj strani kreveta, ne menjajući položaj. Međutim, nije bilo drugog objašnjenja, s desne strane videh dva jastuka i ormar s leve strane. Pustih se da ponovo padnem u posteljinu.

Začu se kucanje na vratima. Bila je to Ilarija, uđe u moju sobu, na sebi je imala pogu4žvanu haljinicu, još uvek je bila pospana, reče:

„Đani se ispovraćao po mom krevetu."

Pogledah je krajičkom oka, bezvoljno, ne pridigoh glavu s jastuka. Zamislih je kao staricu, izobličenih crta lica, na samrti ili već mrtvu, a i dalje deo mene, privid devojčice kakva sam nekad bila, kakva ću postati. Čemu to „ću postati"? Kroz misli su mi prolazili brzi, izbledeli prizori, žurno izgovorene rečenice, šapat. Primetih da ne slažem rečenice po gramatičkim pravilima, pomislih kako je za to krivo konfuzno buđenje iz sna. Vreme leti, razmišljala sam, danas je red na mene, začas će biti red na moju kćerku, već se dogodilo mojoj majci, svim mojim precima, možda se još uvek, istovremeno, događa njima i meni, možda će se tek dogoditi.

Odlučih da ustanem, ali kao da se stvorio vremenski vakuum između donošenja odluke i izvođenja radnje: od ustajanja osta samo namera koja mi je neko vreme odzvanjala u ušima. Biti devojčica a potom devojka, iščekivala sam muškarca, sad bejah izgubila muža, biću nesrećna sve do časa svoje smrti, noćas sam iz očaja pušila Karanov kurac kako bih izbrisala nanetu mi uvredu, kakva protraćena gordost.

„Dolazim", rekoh ne mrdnuvši se iz mesta.

„Zašto si spavala u tom položaju?"

„Ne znam."

„Đani je spustio usta na moj jastuk."

„Šta je tu loše?"

„Uprljao mi je krevet, čak i jastuk. Treba da mu lupiš šamar."

Pokušah da privolim telo da se pridigne, nisam imala dovoljno snage. Nije mi bilo jasno kako je moguće da mi sopstveno telo predstavlja toliki teret, bilo je teže od olova, nisam imala volje da se čitav dan održavam na nogama. Zevnuh, promrdah vrat, prvo na levu zatim na desnu stranu, ponovo pokušah da skinem prstenje sa ruke ali bezuspešno.

„Ako ga ne kazniš, ima da te uštinem", zapreti mi Ilarija.

Pođoh ka dečjoj sobi, namerno usporenim korakom, ispred mene je išla moja nestrpljiva kćerka. Oto je lajao, cvileo je, čuh kako grebe po vratima koja su razdvajala spavaće sobe od dnevnog boravka. Đani je ležao na Ilarijinom krevetu, u odeći u kojoj beše zaspao prethodne večeri ali znojav, prebledeo, oči su mu bile zatvorene iako je bilo jasno da je budan. Letnji pokrivač bio je zamazan povraćkom, i po podu se razlivala žućkasta mrlja.

Ne rekoh mu ništa, nisam imala potrebu niti osećala volju za time. Uputih se ka kupatilu, pljunuh u lavabo, isprah usta. Potom uzeh jednu krpu, usporenim pokretom koji mi se pak učini ishitrenim, osetih kako mi pogled krivuda, čas na jednu čas na drugu stranu, kako mi se pred očima njišu zidovi, ogledalo, komode, čitavo kupatilo se pomeralo.

Ispustih dug uzdah kako bih zaustavila taj prizor, kako bih zadržala pogled u jednom mestu, kako bih smirila paniku. Vratih se u dečju sobu, spustih se na kolena da obrišem pod. Kiseli smrad povraćke podseti me na doba dojenja, kašica, na iznenadno bljuvanje hrane. Dok sam usporenim pokretima brisala s poda tragove bolesti mog sina, razmišljala sam o ženi iz Napulja i njenoj kenjkavoj deci koju je ućutkivala karamelama. U izvesnom trenutku, napuštena žena postala je kivna na svoju decu. Govorila je da su joj na telu ostavili miris majke, da ju je to upropastilo, da su ona kriva za to što ju je muž ostavio. Muškarci ti prvo napumpaju stomak, zbog njih ti otežaju dojke, a posle nemaju strpljenja. Setih se njenih reči. Moja majka ih je tihim glasom ponavljala kako ja ne bih čula, ozbiljno i sa odobravanjem. Ja sam ih, međutim, ipak čula, i sad mi se činilo da ih čujem, bila sam istovremeno devojčica koja se igra ispod stola, koja krade kocke šećera kako bi ih krišom sisala, i odrasla žena tog jutra, koja pored Ilarijinog kreveta rutinskim pokretima obavlja taj turoban posao i osluškuje zvuke koje lepljiva krpa pravi po podu. Kakav je bio Mario? Nežan, čini mi se, nije pokazivao znake netrpeljivosti niti nezadovoljstva tokom mojih trudnoća. Naprotiv, kad sam bila u drugom stanju navaljivao je da vodimo ljubav češće nego inače, a i ja sam tad više uživala. Čistila sam sada, sabirajući u mislima godine, bez emocija. Ilarija je imala godinu i po dana kada se Karla pojavila u našem životu, Đaniju je bilo nešto manje od pet godina. Nisam više imala posao, nikakav posao, nisam više ni pisala, nekih pet godina. Živela sam u novom gradu koji mi je još uvek bio stran, nisam u njemu imala nikakvu rodbinu koju bih zamolila za pomoć, a sve i da sam je imala, znam da to nikada ne bih učinila, nisam bila od onih ljudi koji traže pomoć. Obavljala sam kupovinu, kuvala sam, raspremala, vodala sam sa sobom svoje dvoje dece iz ulice u ulicu, iz sobe u sobu, iscrpljena, ozlojeđena. Vodila sam računa o raznim rokovima, ja sam se starala o plaćanju računa, jurila sam čas u banku čas u poštu. Noću sam stavljala na papir, u svoje sveske, sve dnevne izdatke, do poslednje lire, kao da sam računovođa koji mora da polaže račune svom šefu. Ponekad sam pored cifara beležila i kako se osećam: poput sažvakanog zalogaja u ustima moje dece, poput žive materije koja se svakim danom sve više stapa i omekšava kako bi dopustila dvema halapljivim pijavicama da se njome hrane, ostavljajući za sobom miris i ukus svojih želudačnih sokova. Dojenje mi

se tako gadilo, kakva životinjska funkcija. Gadio mi se i sladu-
njavi miris mlake dečje hrane. Koliko god da sam se kupala,
taj neprijatan miris majčinstva ostajao je na meni. Ponekad se
Mario prilepljivao uz mene, uzimao me je jedva budnu, i sam
umoran od posla, bez emocija. Činio je to ustremljujući se na
moje poluprisutno telo koje je mirisalo na mleko, na keks, na
griz, s nekim ličnim očajem koji se neprimetno spajao s mo-
jim. Bila sam incestno telo, razmišljala sam rasejano, zgađena
smradom Đanijeve povraćke, bila sam majka koju je silovao
a ne ljubavnica. On je već tražio nova tela pogodnija za ulogu
ljubavnice, bežao je od osećaja krivice, prepuštao se nostalgi-
ji, uzdisao je setno. Karla se pojavila u pravom trenutku, bila
je ispunjenje njegovih neugaslih želja. Bila je trinaest godina
starija od Ilarije, deset godina starija od Đanija, sedam godina
starija od mene kad sam slušala majku kako priča o sirotici s
Trga Macini. Mario mora da je u njoj video budućnost, a zapra-
vo je žudeo za prošlošću, za vremenom kad sam mu podarila
svoju mladost za kojom je sada osećao nostalgiju. Možda je i
ona sama verovala da je njegova budućnost s njom, možda ga
je podstakla da u to veruje. Međutim, niko od nas nije znao šta
radi, ja naročito. Čekala sam, dok sam se starala o deci, o Ma-
riju, da dođe vreme koje nije stizalo, neko novo vreme kada ću
ponovo postati ona stara, kakva sam bila pre trudnoća, mlada,
vitka, puna energije, besramno ubeđena da ću postići ko zna
kakve velike podvige. Ne, pomislih, stiskajući čvrsto krpu i pri-
dižući se s mukom s poda: u izvesnom trenutku budućnost
postaje samo potreba da živimo u prošlosti. Treba obavestiti
nekoga da promeni gramatička objašnjenja.

# 19.

„Fuj", reče Ilarija i povuče se s prenaglašenim gađenjem kad ponesoh prljavu krpu u kupatilo kako bih je isprala. Ubedih sebe da ću se osetiti bolje ukoliko se odmah bacim na uobičajene kućne poslove. Oprati veš. Razvrstati ga po bojama. Pustiti mašinu. Treba da nađem način da smirim uzburkane misli, govorila sam sebi, reči i slike rojili su mi se u mislima poput osica, zbog njih sam se plašila da ću nešto pogrešno uraditi. Pažljivo isprah krpu, potom natrljah sapunom prstenje, burmu i prsten s azurnoplavim kamenom koji je pripadao mojoj majci. Malo-pomalo skinuh ih sa ruke, ali ne osetih olakšanje, telo mi je i dalje bilo otečeno, začepljenja u venama i dalje su bila tu. Mehaničkim pokretom spustih prstenje na lavabo.

Kada se vratih u dečju sobu, nagnuh se rasejano nad Đanijem, prislonih usne na njegovo čelo. On zastenja i reče:

„Mnogo me boli glava."

„Ustani", naredih mu bez sažaljenja, a on me pogleda zbunjeno, s mukom se pridiže s kreveta zapanjen mojim odsustvom brige pred njegovom patnjom. Skinuh posteljinu trudeći se da delujem pribrano, navukoh novu, ubacih čaršav i jastučnice u korpu za prljav veš. Tek se tad prisetih da mu kažem:

„Vrati se u krevet, doneću ti toplomer."

Ilarija stade navaljivati:

„Treba da mu lupiš šamar."

Pošto se posvetih traženju toplomera ne ispunivši njen zahtev, odluči da me kazni i uštinu me, pomno me je posmatrala da vidi da li me boli.

Ne odreagovah, uostalom šta me je bilo briga, ionako ništa nisam osećala. Ona se tada zainati, sva se zacrvene u licu od napora i usredsređenosti. Odgurnuh je laktom kada pronađoh toplomer, i vratih se kod Đanija. Namestih mu toplomer pod mišicu.

„Drži ga čvrsto", rekoh mu i pokazah mu sat koji je visio na zidu. „Treba da ga izvadiš za deset minuta."

„Pogrešno si mu ga stavila", reče mi Ilarija izazivački.

Ne obratih pažnju na njene reči, Đani međutim proveri, i sa optužujućim pogledom podiže toplomer, pokaza mi da sam mu pod mišku stavila kraj bez žive. Oprez i pažnja: samo mi oprez i pažnja mogu pomoći, pomislih. Namestih mu toplomer kako treba, Ilarija je bila zadovoljna, reče: ja sam to primetila. Klimnuh glavom, u redu, pogrešila sam. Zato što – mislila sam u sebi – moram istovremeno da završavam hiljadu stvari, skoro deset godina me primoravate na takav život, a uostalom još se nisam ni razbudila kako treba, nisam popila jutarnju kafu, nisam ni doručkovala.

Htela sam da spremim moku i da je stavim na ringlu, da podgrejem mleko za Ilariju, da se postaram za veš. Međutim, iznenada ponovo primetih Otovo lajanje, ne beše se prekinulo ni na tren, grebao je po vratima. Bejah zanemarila te zvukove kako bih se usredsredila na sinovljevo stanje, ali sada mi se činilo da pas ne ispušta zvukove već elektrošokove.

„Stižem", povikah.

Prisetih se da ga prethodne večeri nisam izvela u šetnju, sasvim sam zaboravila na njega, mora da je lajao čitave noći, sada je bio mahnit, imao je svoje potrebe. Imala sam ih uostalom i ja. Bila sam hrpa živog mesa, ispunjena talogom, boleli su me bešika i stomak. Pomislih to bez samosažaljenja, bila je to obična konstatacija. Haotični zvuci u glavi širili su mi se čitavim telom poput udaraca: ispovraćao se, boli me glava, gde je toplomer, vau, vau, vau, učini nešto.

„Izvešću psa u šetnju“, rekoh glasno samoj sebi.

Stavih Otu povodac, okrenuh ključ u bravi, uz malo poteškoća izvukoh ga iz nje. Silazila sam stepeništem kad primetih da na sebi imam spavaćicu i kućne papuče. Nalazila sam se pred Karanovim vratima, osetih gađenje i nasmejah se glasno, pomislih kako mora da još uvek spava oporavljajući se od prevelikog naprezanja prethodne noći. Šta me je briga za njega, pomislih, video me je i bez ičega, video je moje skoro četrdesetogodišnje telo, stigli smo do vrhunca prisnosti. Što se ostatka komšiluka tiče, svi su već odavno bili na odmoru ili behu otputovali u petak da provedu vikend na planini ili na moru. Uostalom, da nas Mario nije napustio, i mi bismo poslednjih mesec dana proveli u nekom lepom primorskom mestu, kao što smo to činili prethodnih godina. Kurvar jedan. Zgrada je bila sasvim prazna, kao i uvek u avgustu. Osetih želju da zastanem pred svakim vratima da se kreveljim, da plazim jezik, da vičem uta-ta! Šta me je briga za njih, za te srećne porodičice, za advokate, lekare i profesore koji žive u udobnosti stečenoj naplaćivanjem usluga koje treba da su besplatne. Poput Marija, koji je zarađivao prodajući ideje, svoju pamet, prirodnu ubedljivost dok je držao svoja predavanja. Ilarija mi povika s vrata:

„Neću ovde da sedim uz smrad povraćke.“

Pošto joj ne odgovorih, vrati se u stan, čuh kako je besno zalupila vrata. Bože blagi, ako me jedno vuče na jednu stranu, ne mogu i na drugu, ne mogu da budem na dva mesta u isto vreme. Oto me je zaista snažno vukao, teško dišući, jurio je sprat za spratom dok sam ja pokušavala da ga usporim, nisam želela da potrčim, plašila sam se da ću se ukoliko potrčim razbiti, i pređeni spratovi brisali su mi se iz sećanja, gelender i žućkasti zidovi prolazili su pored mene u naletima. Videla sam samo stepenište, njegove jasne konture, za sobom sam čula vetar, bila sam poput komete. Ah, kakav ružan dan, prevelika vrućina već u sedam sati izjutra, na parkingu nije bilo drugih automobila osim mog i Karanovog. Možda sam bila previše umorna da bih zadržala uobičajen red u svetu oko sebe. Nije trebalo da izađem napolje. Šta sam uradila u stanu? Jesam li stavila moku na šporet? Jesam li je napunila kafom, jesam li sipala vodu? Jesam li je dobro zatvorila kako ne bi eksplodirala? A mleko za devojčicu? Jesu li to bile radnje koje sam izvršila, ili samo zamislila? Otvori frižider, izvadi karton mleka, zatvori frižider, napuni džezvu, nemoj da ostaviš mleko na stolu, vrati ga u frižider, uključi gas, stavi džezvu na šporet. Jesam li ispravno izvela sve te radnje?

Oto me je vukao ulicom, projurismo kroz tunel pun prostačkih grafita. Park je bio prazan, reka je podsećala na plastičnu površinu plave boje, brdašca s druge strane obale bila su svetlozelena, nije bilo zvukova uličnog saobraćaja, čuo se samo poj ptica. Ukoliko sam ostavila kafu na šporetu, ili mleko, sve će izgoreti. Mleko će pokipeti iz džezve, ugasiće plamenove a gas će se raširiti po čitavoj kući. Opet ta opsednutost gasom.

Prozore nisam otvorila. Ili sam to učinila mehanički, bez ra-
zmišljanja? Uobičajeni pokreti, koji su ti u mislima čak i kad
ih nisi obavio. Ili ih obaviš nesvesno, čak i kad je glava zbog
navike prestala o njima da vodi računa. Nabrajala sam mo-
gućnosti, rasejano. Bolje bi mi bilo da sam se zatvorila u ku-
patilo, stomak mi je bio napet, osećala sam kako mi se steže.
Sunce je svojim zracima ocrtavalo konture lišća na drveću,
čak i borovih iglica, mogla sam da ih prebrojim sve do posled-
nje. Ne, nisam stavila na šporet ni kafu ni mleko. Sada sam u
to bila sasvim sigurna. Treba da se uhvatim za tu izvesnost.
Budi dobar, Oto.

Vođen svojim potrebama, pas me je primoravao da trčim za
njim, stomak su mi stiskale lične potrebe. Povodac mi se ure-
zivao u dlan ruke, cimnuh ga snažno, sagnuh se da oslobodim
psa. Pojuri kao vetar, mračna mrlja puna hitnih potreba. Zali-
vao je drveće, pokakio se u travi, jurio je za leptirima, nesta-
de u borovom šumarku. Ko zna kada sam i sama izgubila tu
životinjsku energičnost, možda u pubertetu. Sada kao da sam
se ponovo prepuštala divljini, zagledah se u gležnjeve, pod
pazuh, koliko vremena beše prošlo otkad sam se poslednji
put izdepilirala, otkad sam se obrijala? Ja, koja sam sve do
pre par meseci bila čista ambrozija i nektar. Od trenutka kad
sam se zaljubila u Marija počela sam da živim u strahu da
će mu nešto na meni izazvati gađenje. Opsesivno sam prala
telo, skidala s njega prirodne mirise, brisala sve neprijatne
fiziološke tragove. Želela sam da se odvojim od zemlje, da me
vidi kako lebdim u vazduhu poput onoga što je sasvim čisto
i nevino. Iz kupatila nisam izlazila sve dok se smrad ne bi

sasvim izgubio, puštala sam vodu iz česme kako me ne bi čuo dok piškim. Trljala sam se, četkala sam se, kosu sam prala svaki drugi dan. O lepoti sam razmišljala kao o neprekidnom trudu da sa sebe zbrišem sve tragove telesnosti. Želela sam da voli moje telo zaboravivši sve ono što zna o telima. Lepota je, razmišljala sam zabrinuto, upravo taj zaborav. Ili možda nije. Ja sam bila ta koja je verovala da je njegovoj ljubavi potrebna ta moja opsesija. Izmeštena, nazadna uverenja za koja je bila kriva moja majka, koja me je odgajila da se opsesivno posvećujem negovanju svoje ženstvenosti. Ne znam da li sam bila više zgađena, očarana ili zaintrigirana kada je mlada žena, moglo joj je biti najviše dvadeset pet godina, s kojom sam dugo delila kancelariju dok sam radila za jednu avio-kompaniju jednog jutra prdnula u mom prisustvu, bez imalo srama, štaviše, uputivši mi veseo saveznički osmeh. Devojke danas podriguju i prde u javnosti, to je činila – prisetih se – i jedna moja školska drugarica, sa sedamnaest godina, samo tri godine mlađa nego što je Karla sada. Želela je da postane balerina, većinu vremena provodila je vežbajući poze koje je učila u plesnoj školi. Bila je odlična. Na odmorima je s lakoćom izvodila graciozne piruete po učionici, izbegavajući školske klupe. Potom je, kako bi nas zaprepastila ili kako bi pokvarila sliku gracioznosti koja se zadržavala u očaranim muškim pogledima, iz tela ispuštala kakve god zvukove, bez zadrške, iz grla, iz dupeta. To žensko zverstvo osećala sam u sebi od trenutka buđenja, u mesu. Iznenada osetih strah da ću se rastočiti u otpadnu vodu, osetih tako snažnu nelagodu u stomaku da moradoh sesti na jednu klupicu kako bih

povratila dah. Oto beše negde nestao, možda nije imao name-
ru da se ikada vrati, zazviždah besno, vrteo se između drveća
meni nepoznatih imena, delovao mi je više kao akvarel nego
stvarnost. Kakvo je to drveće bilo oko mene? Topole? Kedri?
Akacije? Bagremovi? Bila su to nasumična imena, u drveće se
nisam razumela, nisam znala ni koje se nalazi ispred moje
zgrade. Da sam bila primorana da o njemu pišem ne bih znala
kako. Činilo mi se da posmatram stabla kao pod lupom. Nije
bilo razdaljine između mene i njih, a pravilo nalaže da, kako
bi se o nečemu pisalo, čovek mora da se udalji od predmeta
koji opisuje, da izračuna koliko je vremena prošlo, koliki vre-
menski period nas razdvaja od događaja, da li su se emocije
slegle. Ja sam međutim sve osećala kao da se događa u tom
trenutku, jedno za drugim. I tom prilikom osetih se kao da na
sebi nemam spavaćicu već ogrtač satkan od čitave vegetaci-
je parka Valentino, da na sebi imam njegove puteljke, Most
princeze Izabele, reku, zgradu u kojoj živim, čak i vučjaka. Iz
tog razloga mi je telo bilo tako otežalo, otečeno. Ustadoh, ste-
njući od stida i zbog bola u stomaku, zbog pune bešike, nisam
više mogla da izdržim. Hodala sam vijugavo, stežući ključeve
od stana, udarajući povocem po tlu. Ne, o drveću nisam znala
ama baš ništa. Topola? Libanski kedar? Alepski bor? U čemu
je razlika između akacije i bagrema? Varljivost reči, sve je to
obična prevara, možda u obećanoj zemlji nema reči kojima se
služimo da ulepšamo činjenice i dela. S prezrivim osmehom,
i s gađenjem prema sebi, zadigoh spavaćicu, čučnuh, popi-
šah se i israh uz stablo jednog drveta. Bila sam tako umorna,
umorna, umorna.

Izgovorih to i naglas ali reči brzo zamreše, u dnu grla delovale su živo, međutim izgovorene su postajale ugasli zvukovi. Čuh kako me Ilarija doziva iz daljine. Njene reči dopirale su do mene tromo.

„Mama, vrati se, mama!"

Bile su to reči uplašenog stvorenjceta. Nisam mogla da je vidim ali zamislih je kako se naginje s balkona, čvrsto se držeći za njegovu ogradu. Znala sam da je balkon plaši, mora da sam joj zaista bila potrebna ako se usudila da izađe na njega. Možda je mleko zaista pokipelo, možda je moka eksplodirala, možda se gas širi po stanu. Ali zašto da priteknem u pomoć? Otkrih ogorčeno da, iako sam devojčici potrebna, ja ne osećam nikakvu potrebu za njom. Ni Mario ne oseća tu potrebu. Zbog toga je otišao da živi s Karlom, Đani i Ilarija mu nisu potrebni. Želja je u stanju sve da saseče. Njegova je bila da otkliza daleko od nas kao na nekoj beskrajnoj ploči; učini mi se da je moja sada da sasvim potonem, da se prepustim, da gluva i nema utonem u sopstvene vene, u svoj stomak, u bešiku. Primetih da sam oblivena hladnim znojem, da mi kožu pokriva ledena patina iako je jutro bilo toplo. Šta mi se to događa? Učini mi se nemogućim da ću pronaći put do kuće.

U tom trenutku osetih kako mi nešto dodirnu gležanj, kako ga vlaži. Ugledah pored sebe Ota, naćuljenih ušiju, jezik mu je tromo visio iz usta, uputi mi dobroćudan pogled. Pridigoh se, nekoliko puta bezuspešno pokušah da mu stavim povodac, iako je stajao u mestu, teško dišući, s neobičnim, možda tužnim pogledom u očima. Naposletku se potrudih da se usredsredim, zarobih ga povocem. Hajde, hajde, rekoh mu. Činilo

mi se da ću, ukoliko budem pratila njega, čvrsto stežući po-
vodac, ponovo osetiti topao vazduh na licu i tlo pod nogama.

## 20.

Pred lift stigoh kao da sam hodala po žici razvučenoj izme-
đu borovog šumarka i ulaza u zgradu. Naslonih se na metalna
vrata dok se lift polako kretao, uputih Otu pogled pun zahval-
nosti. Stajao je blago raširenih nogu, dahtao je, iz usta mu je
curila pljuvačka koja je pravila žvrljotinu po podu lifta. Lift se
bučno zaustavi.

Na našem spratu zatekoh Ilariju, delovala mi je besno, po-
mislih kako mi se majka vratila iz carstva mrtvih kako bi me
podsetila na moje obaveze.

„Ponovo se ispovraćao", reče.

Okrenu se na peti i uđe u stan, za njom krenu Oto, koga
pustih s povoca. U stanu se nije osećao miris pokipelog mleka
niti kafe. Požurih da zatvorim vrata, mehaničkim pokretom
uvukoh ključ u bravu, okrenuh ga u njoj dva puta. Ruka mi se
beše navikla na taj pokret koji je trebalo da spreči da mi neki
stranac uđe u stan da kopa po mojim stvarima. Morala sam
se zaštititi od onih koji su davali sve od sebe da me zatrpaju
obavezama, osećajem krivice, da me spreče da nastavim svoj
život. U meni se javljala sumnja da i moja deca žele da me
ubede da i njihova tela venu mojom krivicom, zato što udišu
isti vazduh kao i ja. To je bila svrha Đanijeve bolesti. On ju je
izazvao namerno, Ilarija mi ju je sa uživanjem isticala. Ponovo

se ispovraćao, i šta onda? Nije prvi put, neće biti ni poslednji. Đani je imao slab stomak na oca. Obojicu ih je hvatala mučnina na brodu, u automobilu. Bilo je dovoljno da popiju čašu hladne vode, da pojedu parče jake torte pa da se osete loše. Ko zna šta je dečak krišom pojeo kako bi mi dodatno zakomplikovao život, kako bi mi otežao dan.

Sobu zatekoh ponovo u neredu. Prljava posteljina bila je sklupčana u uglu poput kakvog oblaka a Đani je opet ležao na Ilarijinom krevetu. Devojčica beše na sebe preuzela moju ulogu. Ponela se baš kao i ja prema majci kad sam bila mala, pokušala je da uradi sve ono što je videla od mene, trudila se da me zameni kako bi se oslobodila mog autoriteta, želela je da zauzme moje mesto. Ja sam joj to uglavnom dopuštala, moja majka to nije činila nikad. Svaki put kad sam pokušala da je oponašam grdila me je, govorila je da sam nešto pogrešno uradila. Možda je to zaista bila ona u telu moje kćerke, trudila se da me smrvi kako bi mi pokazala da nisam dorasla zadatku. Ilarija mi stade objašnjavati šta se desilo, kao da me poziva da se priključim nekoj igri u kojoj je ona kraljica:

„Prljavu posteljinu sam stavila tamo i rekla sam mu da legne na moj krevet. Nije mnogo povratio, samo je uradio ovako.“

Poče da se napreže a zatim pljunu nekoliko puta na pod.

Približih se Đaniju, bio je znojav, uputi mi neprijateljski pogled.

„Gde je toplomer?“, upitah.

Ilarija ga spremno uze s komode i pruži mi ga, stade mi prenositi informacije koje nije znala, nije umela da očita toplomer.

„Ima visoku temperaturu", reče, „ali odbija da stavi čepić."

Pogledah toplomer, nisam bila u stanju da se usredsredim, da očitam koliko stepeni pokazuje. Ne znam koliko sam dugo ostala u tom položaju, s toplomerom u ruci, pokušavajući da nateram oči da ga sagledaju. Moram se postarati za sina, mislila sam u sebi, moram da vidim koliku temperaturu ima, ali nisam uspevala da se usredsredim. Mora da mi se u toku noći nešto dogodilo. Ili sam nakon meseci punih briga i nervoze došla do ivice nekakve provalije i sada, iako u ruci držim toplomer, iako pod đonovima papuča mogu da opipam patos, iako na sebi osećam iščekujuće poglede svoje dece, lagano padam, kao što se to dešava u snu. Za sve su krive muke koje mi je priredio moj muž. Sada je, međutim, dosta, moram da se trgnem, moram da zaboravim na bol, moram da otresem mučne misli. Da izbacim iz sobe tu prljavu posteljinu. Da je ubacim u mašinu za veš. Da pustim mašinu. Da sednem da posmatram bubanj, odeću koja se u njemu vrti, vodu i deterdžent.

„Imam trideset osam sa dva", reče Đani bolnim glasom, „i mnogo me boli glava."

„Moraš da staviš čepić", navaljivala je Ilarija.

„Neću."

„Onda ću da ti lupim šamar", zapreti mu devojčica.

„Nećeš ti nikome da lupiš šamar", umešah se.

„Zašto nam ih onda ti lupaš?"

Nikada im ne bejah lupila šamar, ni jednom ni drugom, možda sam samo ponekad zapretila da ću to učiniti. Moguće je, međutim, da deca ne prave nikakvu razliku između onoga

čime im zapretiš i onoga što stvarno učiniš. I samoj mi se – pri-
setih se – kad sam bila mala činilo da je tako, možda mi se čini
i sada, odrasloj. Ono što bi mi se moglo dogoditi ukoliko bih
prekršila neku majčinu zabranu događalo se u svakom slučaju,
bilo da sam napravila prekršaj ili nisam. Reči su se pretvarale
u dela, i osećala sam kako me kazna peče, zaboravljajući i šta
sam to mogla ili želela da skrivim. Prisetih se jedne rečenice
koju je moja majka često izgovarala: „Stani, inače ću da ti od-
sečem ruke", govorila je kad god bih se usudila da pipnem njen
pribor za šivenje. Te njene reči za mene su bile same makaze,
duge makaze od zarđalog čelika, izlazile su joj iz usta, poput
čeljusti pune sečiva koje se sklapa oko mojih zglobova ostav-
ljajući za sobom patrljke zakrpljene uz pomoć igle i konca.

„Nikada vam nisam lupila šamar", rekoh.

„Nije tačno."

„Možda sam samo nekad zapretila da ću to učiniti. Tu po-
stoji debela razlika."

Nema nikakve razlike, pomislih, i uplaših se te misli. Uko-
liko izgubim sposobnost da napravim razliku između ta dva,
ukoliko je nepovratno izgubim, ukoliko dopustim da se izbri-
šu granice, šta sve može da se dogodi tog vrelog letnjeg dana?

„Kad kažem da ću ti lupiti šamar, to nije isto kao kad ti ga
stvarno lupim", objasnih joj trudeći se da zvučim smireno,
kao da se nalazim pred kakvim ispitivačem i želim lepo da se
pokažem, da ga uverim da sam staložena i racionalna osoba.
„Reč šamar i šamar nisu jedno te isto."

Zatim, više kako bih uverila sebe nego nju, lupih sebi sna-
žan šamar. Osmehnuh se, ne samo zato što mi se taj postupak

iznenada učini krajnje komičnim, već i kako bih im pokazala da je u pitanju vesela demonstracija, da nije u pitanju pretnja. Međutim, Đani smesta pokri lice pokrivačem a Ilarija se zapanjeno zagleda u mene, oči joj se napuniše suzama.

„Povredila si se, mama", reče bolnim glasom, „curi ti krv iz nosa."

I zaista, na spavaćici ugledah kapi krvi, osetih sram.

Šmrknuh, pođoh u kupatilo, zaključah se u njega kako bih sprečila kćerku da uđe. Dosta, usredsredi se, Đani ima povišenu temperaturu, učini nešto. Zapuših jednu nozdrvu vatom, počeh mahnito da tražim nešto po kredencu s lekovima, koji bejah sredila prethodne večeri. Tražila sam antipiretik sve vreme misleći: potrebni su mi lekovi za smirenje, događa mi se nešto strašno, moram da se smirim, osećala sam istovremeno kako mi Đani, sećanje na Đanija koji leži u susednoj sobi s povišenom temperaturom, polako klizi iz misli, nisam bila u stanju da u njima zadržim brigu za njegovo zdravlje, prelazio je u drugi plan, kao da ga vidim krajičkom oka, poput izmaglice, poput rasturenog oblaka.

Nastavih da tražim pilule, ali ih u kredencu nije bilo, gde li sam ih stavila. Iznenada se prisetih da sam ih bacila u slivnik, kako sam samo bila glupa. Pomislih da napravim toplu kupku kako bih se opustila, da se možda izdepiliram, tople kupke imaju umirujuće dejstvo, potrebno mi je da osetim mlaz vode na koži, gubim se, šta će biti s decom ukoliko ne uspem da se povratim?

Nisam želela da ih Karla ni takne, na samu tu pomisao osetih gađenje. Da se jedan nezreli devojčurak stara o mojoj deci, još nije izašla ni iz puberteta, ruke su joj umrljane ljubavnikovom spermom, istom onom spermom koja je u krvi moje dece. Moram ih, dakle, zadržati podalje od moje dece, i nju i Marija. Da budem sama sebi dovoljna, da ne prihvatim ništa od njih. Počeh da punim kadu, osetih se kao hipnotisana prvim kapima i mlazom vode.

Međutim, ubrzo prestadoh da obraćam pažnju na isticanje vode, sada mi se pogled gubio u ogledalu koje sam imala sa strane, posmatrala sam svoj lik, s nepodnošljivom jasnoćom posmatrala sam raščupanu kosu, nenašminkane oči, natečen nos iz koga je virila vata, čitavo lice stegnuto od usredsređenosti, umrljanu kratku spavaćicu.

Odlučih da nešto preduzmem. Počeh da čistim lice pamučnim tuferom, želela sam da opet budem lepa, osećala sam snažnu potrebu za tim. Lepota umiruje, i deci će prijati da me vide lepu, Đaniju će biti toliko milo da će ozdraviti, i sama ću se osetiti bolje. Delikatna tečnost za skidanje šminke oko očiju, mleko za lice koje kožu čini mekom, hidratantni tonik za lice bez alkohola, očistiti lice, naneti šminku. Šta je uostalom lice bez boja, bojenje je skrivanje, ništa nije u stanju bolje da sakrije površinu od malo boje. Napred, napred, napred. Iz dubine je do mene dopirao nekakav zvuk, bio je to Mariov glas. Utonuh u reči pune ljubavi koje mi je nekada upućivao muž, pre mnogo godina.

Radosna, mila golubice, govorio mi je, bio je strastveni čitalac klasika, imao je zavidno pamćenje. Sa uživanjem mi je govorio da želi da bude moj grudnjak kako bi se privio uz moje grudi, da se pretvori u moje gaćice, u moju suknju, u čarape koje mi obavijaju noge, u vodu koja mi pere lice i kremu koja ga neguje, ogledalo u kome se ogledam, služio se lepom književnošću, podrugljivo se služio mojom ljubavlju ka lepim rečima, očaran time što u književnosti nailazi na već spremne prizore pomoću kojih će izraziti želju koju oseća prema meni, prema ženi u ogledalu. Maski pokrivenoj rumenilom, nakarminisanoj, s nosem punim vate, sa ukusom krvi u grlu.

Okrenuh joj leđa sa odvratnošću, taman na vreme da vidim da se voda preliva iz kade. Zavrnuh slavinu, gurnuh jednu ruku u vodu, ledenu vodu, ne bejah se ni uverila da sam pustila toplu vodu. Lice mi skliznu sa ogledala, više me nije zanimalo. Hladna voda kao da me beše podsetila na Đanijevu temperaturu, na povraćanje, na glavobolju. Šta radim tu zatvorena u kupatilo? Paracetamol. Potražih ga u kredencu, pronađoh ga, povikah kao da tražim pomoć:

„Ilarija! Đani!"

## 21.

Sada sam osećala potrebu za njihovim glasovima, ne odgovoriše mi. Uhvatih se za vrata, pokušah da ih otvorim, bezuspešno. Prisetih se da sam ih zaključala, okrenuh ključ udesno, kao da hoću da zaključam, umesto ulevo. Uzdahnuh duboko, usredsredih se na ispravan pokret, izvedoh ga, i izađoh u hodnik.

Pred vratima zatekoh Ota. Ležao je izvrnut na stranu, glave spuštene na patos. Ne pomeri se kad me vide, ne digoše mu se ni uši, ne mrdnu ni repom. Dobro sam poznavala taj položaj, zauzimao ga je kad se osećao zanemareno, kad je bio željan ljubavi, bio je to položaj pun melanholije i bola, poručivao je da traži razumevanje. Glupavi pas, i on se trudio da mi stavi do znanja da oko sebe širim teskobu. Zapitah se, širim li zaista nezadovoljstvo i nemir čitavim stanom? Da li je to zaista moguće? I otkad, možda već četiri-pet godina? Jel' se zato Mario okrenuo maloj Karli? Spustih boso stopalo vučjaku na stomak, osetih kako mi se njegova toplota širi stopalom, kako se penje sve do prepona. Primetih da mu čeljusti krasi paučina od pljuvačke.

„Đani spava“, prošaputa Ilarija iz dna hodnika, „dođi.“

Preskočih psa, pođoh u dečju sobu.

„Kako si lepa!“, uskliknu Ilarija sa iskrenim divljenjem i pogura me ka Đaniju kako bi mi pokazala da zaista spava. Dečak je na čelu imao tri novčića i zaista je spavao, otežanog disanja.

„Novčići su hladni“, objasni mi Ilarija, „od njih ga manje boli glava i spušta mu se temperatura.“

Svako malo, skidala je novčiće i spuštala ih u čašu vode, potom ih je sušila i ponovo ih spuštala na bratovo čelo.

„Kad se probudi, mora da popije paracetamol“, rekoh joj.

Spustih kutiju na komodu, vratih se u hodnik da uradim nešto, bilo šta. Da spremim doručak, da. Đani, međutim, ne sme ništa da jede. Da pustim veš onda. Ili da makar pomazim Ota. Primetih, međutim, da psa više nema ispred vrata od kupatila, odlučio je da prestane da mi predočava svoju balavu tugu. Još bolje. Ukoliko se moje loše stanje ne prenosi na druge, na ljude i zveri, to znači da njihove boljke utiču na mene, da me napadaju i teraju da se razbolim. I zato – pomislih kao da donosim značajnu odluku – treba da pozovem lekara. Treba da mu telefoniram.

Trudila sam se da se uhvatim za tu misao, vukla sam je za sobom poput vrpce na vetru i opreznim korakom uputih se ka dnevnom boravku. Iznenadih se pred neredom koji zatekoh na svom radnom stolu. Fioke su bile pootvarane, knjige su bile razbacane na sve strane. Čak je i sveska u koju sam beležila misli za knjigu na kojoj sam radila bila otvorena. Prelistah poslednje stranice. U njima nađoh, prepisane mojim rukopisom, pasuse iz *Slomljenih žena* i pokoji redak iz *Ane Karenjine*. Nisam pamtila da sam ih prepisala. Svakako, imala sam naviku da prepisujem odlomke iz knjiga, ali ne u tu svesku, imala sam jednu posebnu za to. Da li je moguće da me i pamćenje napušta? Nisam pamtila ni da sam odlučnim linijama, crvenim mastilom, podvukla pitanja koja je Ana postavljala samoj sebi u trenucima pre nego što se bacila pod voz: „Gde sam? Šta ovde radim? Zašto?" Ne iznenadih se pred tim odlomcima, činilo mi se da ih dobro poznajem, pa ipak nije mi bilo jasno šta rade na tim stranama. Da li su mi tako poznati baš zato što sam ih u skorije vreme prepisala, prethodnog dana, ili onog pre njega? Zašto se onda toga ne sećam? Zašto su u toj svesci, a ne u onoj drugoj?

Sedoh za radni sto. Trebalo je da se držim čvrsto za neku misao, ali bejah zaboravila za koju. Ništa više nije bilo čvrsto, sve mi je klizilo iz misli. Zagledah se u svesku, u crvene linije ispod Aninih pitanja, uhvatih se za njih kao za sidro. Čitala sam ih iznova i iznova, ali pogled kao da mi je preletao preko njih bez razumevanja. Nešto nije bilo u redu s mojim čulima. Beše se javila isprekidanost u osećajima i osećanjima. Ponekad sam im se prepuštala, ponekad su me plašila. Te reči, na primer: nisam uspevala da nađem odgovore na pitanja, svaki moguć odgovor delovao mi je apsurdno. Bila sam izgubljena, nisam znala gde sam to i šta tu radim. Bila sam sasvim nema pred onim „zašto?“. Sve se to odigralo u toku jedne noći. Možda sam, nisam znala kada, nakon silnog odolevanja, nakon višemesečnog opiranja, pronašla sebe u tim knjigama, i onda se nešto u meni zamaglilo, prigušilo, sasvim sam se pomela. Pretvorila sam se u pokvareni časovnik koji, pošto njegovo metalno srce i dalje nastavlja da kuca, pokazuje pogrešno vreme.

## 22.

U jednom trenutku osetih trzaj u nozdrvama, pomislih da mi ponovo curi krv iz nosa. Ubrzo mi pak postade jasno da sam zamenila čulo mirisa za dodir. Stanom se širio nekakav smrad. Uplaših se da je Đani zaista loše, pridigoh se i vratih se u njegovu sobu. Dečak je, međutim, i dalje spavao uprkos sestrinom upornom spuštanju hladnih novčića na njegovo čelo. Nastavih da koračam hodnikom, oprezno, ka Mariovoj radnoj sobi. Vrata su bila poluotvorena, uđoh.

Smrad je dolazio odatle, vazduh se jedva mogao udisati. Oto je ležao postrance, ispod radnog stola svog vlasnika. Kada mu se približih, čitavim telom mu se pronese dug drhtaj. Iz usta su mu curile bale, pogledah ga u oči, i dalje su to bile oči mog dobrog vučjaka, mada mi se učiniše prebledelim, kao da je neko preko njih prešao sredstvom za čišćenje mrlja. Uz njegovo telo na podu ugledah tamnu mrlju, mračni mulj prošaran krvlju.

Isprva poželeh da se vratim unazad, da izađem iz sobe i zatvorim vrata. Dugo ostadoh uz njega neodlučna, nisam znala šta da preduzmem pred tim novim dokazom da se bolest širi mojim domom, nije mi bilo jasno šta se to događa. Naposletku, odlučih da ostanem tu gde sam. Pas je ležao u tišini, više nije podrhtavao, zatvorenih očiju. Kao da ga je poslednji trzaj ostavio nepokretnog, podseti me na jednu od onih starih igračaka na opruge, spremnih da se razmrdaju čim se spusti polugica.

Polako sam se privikavala na smrad u sobi, do te mere, da kroz par sekundi kroz njega poče da se probija neki drugi miris, za mene još nepodnošljiviji, miris koji Mario beše ostavio za sobom, i koji je sada boravio u njegovoj sobi. Koliko je vremena prošlo otkad sam poslednji put u nju ušla? Treba što pre da ga nateram da iz stana odnese sve što mu pripada, da ga sasvim očisti od svog prisustva. Ne može da odluči da me napusti, a da ipak u stanu ostavi svoje tragove, miris svog tela, tako snažan da je u stanju da nadjača Otov smrad. Uostalom – postade mi jasno – upravo je taj miris naveo vučjaka da šapom spusti kvaku i da se, i on nezadovoljan mnome, podvuče pod sto, u toj sobi gde su tragovi njegovog vlasnika bili najsnažniji, obećavali mu utehu.

Osetih se poniženo, bilo je to još snažnije poniženje od onog koje sam podnosila već četiri meseca. Nezahvalni pas, ja sam se o njemu starala, ja sam ostala uz njega i nisam ga napustila, ja sam ga vodila napolje da obavlja svoje potrebe, a on je sada, ophrvan ko zna kakvom boljkom i znojem, došao da traži utehu među mirisnim tragovima mog muža, nepouzdanog čoveka, izdajnika, begunca. Ostani ovde sam, pomislih, to si i zaslužio. Nisam znala šta mu je, nije me ni interesovalo, i to njegovo stanje bilo je posledica mog konfuznog buđenja tog jutra, još jedna nepravilnost tog dana u koji nisam uspevala da zavedem nikakav red. Pođoh besno ka vratima, taman na vreme da primetim da mi Ilarija stoji iza leđa, upita me:

„Kakav je to smrad?“

Potom vide Ota ispod stola i dodade:

„Zar je i on bolestan? Jel' pojeo otrov?“

„Kakav otrov?“, upitah je zatvorivši vrata.

„Otrov. Tata uvek govori da treba da budemo oprezni. Gospodin sa sprata ispod nas, koji mrzi pse, ostavlja ga po parku.“

Zabrinuta za Ota, pokuša da otvori vrata ali je ja sprečih u tome.

„Dobro je on“, rekoh joj, „samo ga malo boli stomak.“

Pomno me je posmatrala, pomislih da pokušava da shvati govorim li joj istinu. Međutim, upita me:

„Mogu li da se našminkam kao ti?“

„Ne možeš. Idi da paziš brata.“

„Pazi ga ti“, odvrati ljutito i uputi se ka kupatilu.

„Ilarija, da nisi takla moju šminku.“

Ne odgovori mi, a ja odustadoh, dopustih da mi izađe iz vidokruga, ne okrenuh ni pogled, vukući noge po podu uputih se ka Đaniju. Bila sam premorena, kao da bejah izgubila i moć govora. Skinuh mu Ilarijine novčiće sa čela, pređoh mu rukom preko suve kože. Goreo je od vrućice.

„Đani", pozvah ga, ali on nastavi da spava ili da se pretvara da spava. Usta su mu bila poluotvorena, usne su mu bile upaljene poput zažarene rane unutar koje se cakle zubi. Nisam mogla da odlučim da li da ga ponovo dodirnem, da li da mu poljubim čelo, da ga nežno protresem kako bih ga probudila. Odgurnuh iz misli i pitanje o ozbiljnosti njegovog stanja; da li je u pitanju obična prehlada, letnji virus, posledica ledenog napitka, meningitis. Sve mi se činilo podjednako mogućim, ili nemogućim, mučila sam se da uobličim pretpostavke, nisam bila u stanju da ih poređam po ozbiljnosti, a pre svega nisam uspevala da osetim zabrinutost. Sada sam se, međutim, plašila samih misli, želela sam da me ostave na miru, delovale su mi zarazno. Nakon što sam videla u kakvom se stanju nalazio Oto, ponovo me je obuzeo strah da se bolest kanališe kroz mene, pomislih da je bolje da izbegavam kontakt s decom, da ih ne dodirujem. Najbolje bi bilo da pozovem našeg lekara, jednog starijeg pedijatra, a potom i veterinara. Jesam li to već učinila? Jesam li pomislila da to učinim a potom zaboravila? Treba odmah da ih pozovem, tako nalaže pravilo, treba ga se držati iako mi je smetala pomisao da se ponašam poput Marija, hipohondra. Brinuo se, zivkao je lekare za svaku sitnicu. Tata zna – behu mi rekla i deca – da gospodin sa sprata ispod ostavlja otrov po parku; tata zna šta se radi kad

imaš visoku temperaturu, kad te boli glava, kad imaš simp-
tome trovanja; zna da je potrebno pozvati lekara, zna da je
potrebno da dođe veterinar. Da je on sada ovde – trgoh se –
pozvao bi lekara, pre svega zbog stanja u kome se ja nalazim.
Potom pak odbacih tu misao o brižnosti koju sam pripisivala
muškarcu koga za mene više nimalo nije bilo briga. Za njega
sam bila bivša supruga, odbačeno telo, moja bolest za njega
bila bi samo potvrda moje bespotrebnosti. Odlučnim kora-
kom pođoh ka telefonu. Pozvati lekara, pozvati veterinara.
Podigoh slušalicu.

Smesta je spustih ljutito.

Gde mi je glava?

Povrati se, vrati se.

Iz slušalice je dopiralo uobičajeno šuštanje, nije bilo linije.
Znala sam to, a pretvarala sam se da ne znam. Ili možda zaista
nisam znala, beše me napustilo pamćenje, nisam bila u stanju
da rasuđujem ali sam se pretvarala da jesam, pretvarala sam
se i gubila sam osećaj odgovornosti prema svojoj deci i prema
psu, igrala sam pantomime.

Podigoh ponovo slušalicu, okrenuh pedijatrov broj. Ni-
šta, šuštanje se nastavi. Kleknuh, potražih utikač ispod sto-
la, izvukoh ga iz struje, ponovo ga ubodoh. Podigoh nanovo
slušalicu: šuštanje. Okrenuh broj: šuštanje. Dunuh i sama u
slušalicu, nastavih da duvam kao da verujem da ću svojim
dahom oterati to šuštanje zbog kog nisam u stanju da us-
postavim vezu. Ne postigoh ništa. Ostavih telefon, vratih se
bezvoljno u hodnik. Možda nisam shvatila, treba da se usred-
sredim, da postanem svesna toga da je Đani bolestan, da je

i Otu loše, da nađem način da sebi predočim njihovo stanje i da osetim zabrinutost. Stadoh nabrajati na vrhove prstiju. Kao prvo, u dnevnoj sobi ne radi telefon. Kao drugo, u dečjoj sobi Đani ima visoku temperaturu i povraćao je. Kao treće, u Mariovoj sobi leži vučjak u lošem stanju. Ali nemoj da paničiš, Olga, nemoj da juriš. Budi oprezna, u žurbi bi mogla da zaboraviš na neki deo tela, na glas, neku misao. Ili da raspolutiš pod, da nepovratno razdvojiš dnevnu sobu od dečje sobe. Upitah Đanija, možda ga prejako prodrmusavši:

„Kako si?"

Dečak otvori oči:

„Pozovi tatu."

Dosta više s tim vašim beskorisnim ocem.

„Ja sam tu, ništa se ne brini."

„Dobro, ali ipak pozovi tatu."

Nema više tate, tata koji uvek zna šta da radi je otišao. Moramo da se snađemo sami. Ali telefon ne radi, nema signala. Možda i sama odlazim, na tren mi se učini da razmišljam lucidno. Odlazim ko zna kakvim putevima, idem da se izgubim, nema izlaza, dečaku je to jasno i zato je tako zabrinut, više za mene nego za svoj bol, za temperaturu. Za mene.

Ta pomisao me zabole. Moram da se povratim, da se zaustavim pre nego što stignem do ivice. Na stolu ugledah metalnu hvataljku kojom sam skupljala raštrkane papire. Uzeh je, zakačih je za kožu na desnoj ruci, možda nečemu posluži. Možda pomogne da se zadržim ovde.

„Brzo se vraćam", rekoh Đaniju a on se malo pridiže kako bi me bolje pogledao.

„Šta si to uradila s nosem?", upita me. „Smeta ti sva ta vata, izvadi je. I zašto si zakačila to na ruku? Ostani ovde sa mnom." Dobro me je osmotrio. Ali šta je video? Vatu, hvataljku. O mom našminkanom licu ništa nije rekao, nije pomislio da sam lepa. Muškarci, bilo da su mladi ili stari, ne znaju da cene istinsku lepotu, misle samo na svoje potrebe. Sigurno će i on kasnije žudeti za očevom ljubavnicom. Vrlo moguće. Izađoh iz sobe, pođoh u Mariovu radnu sobu. Namestih bolje hvataljku. Zapitah se da li je moguće da je Oto zaista otrovan, da je za otrov odgovoran Karano?

Vučjak je i dalje bio tamo, ispod radnog stola svog gazde. Smrad je bio nepodnošljiv, ponovo je imao napad dijareje. Međutim, sada više u sobi nije bio sam. Iza radnog stola mog muža, u njegovoj stolici na okretanje, u sivkastoplavoj polusenci, sedela je neka žena.

## 23.

Bosa stopala beše spustila na Otovo telo, imala je zelenkast ten, bila je to napuštena žena s Trga Macini, *sirotica*, kako ju je zvala moja majka. Zagladi kosu, kao da pokušava da je začešlja prstima, namesti iznošenu haljinu u predelu grudi, imala je prenaglašen dekolte. Njena pojava potraja taman toliko da mi oduzme dah, a potom nestade.

Bio je to loš znak. Uplаših se, osećala sam da me taj vreli dan sa svakim satom sve više vuče nekud gde apsolutno nisam želela da odem. Ukoliko je žena zaista u sobi, razmišljala sam, to znači da meni mora da je osam godina. Ili još gore: ukoliko je žena zaista tu, osmogodišnja devojčica koja mi je s godinama postala sasvim strana nadvladala je mene, ženu od trideset osam godina, i nameće mi svoje vreme, svoj svet. Devojčica se trudi da mi izmakne tlo pod nogama, da ga zameni sopstvenim. I to je bio samo početak: ukoliko bih je podržala u tom pokušaju, ukoliko bih se prepustila, osećala sam da bi se taj dan, i sâm stan, otvorili pred brojnim vremenskim dimenzijama, pred različitim ambijentima, osobama, predmetima i verzijama mene, koje bi mi istovremeno predstavile stvarne događaje, snove i noćne more, sve dok ne bi od njih stvorile zamršen lavirint iz kog nikada ne bih izašla.

Ja nisam nesposobna žena, pomislih, ne smem to da joj dopustim. Niti da zaboravim da je žena iza stola, iako očigledno loš znak, samo to i ništa više, običan znak. Preni se, Olga. Nijednoj ženi od krvi i mesa nije pošlo za rukom da se čitava zavuče u moj detinji um pre tri decenije; nijedna žena od krvi i mesa ne može to da učini ni sada. Osoba koju sam pre nekoliko sekundi videla iza Mariovog stola bila je varljivi privid reči „žena“, „žena s Trga Macini“, „sirotica“. Moram se, dakle, uhvatiti za činjenice: pas je za sada živ, žena je međutim mrtva, udavila se pre tri decenije; ja sam prestala da budem osmogodišnjakinja pre trideset godina. Kako bih se podsetila na to, ugrizoh se za zglob sve dok ne osetih bol. Potom utonuh u vonj bolesnog psa, htela sam samo njega da osećam.

Kleknuh pored Ota. Telom su mu prolazili nezaustavljivi grčevi, vučjak beše postao marioneta u rukama svoje boljke. Zapitah se šta to imam pred očima. Zatvorene čeljusti, guste bale. Njegovi trzaji mi pomogoše da se uhvatim za stvarnost, više nego što mi behu pomogli štipanje hvataljkom i grizenje zgloba.

Moram nešto da učinim, pomislih. Ilarija je bila u pravu. Oto je otrovan, a ja sam za to kriva, nisam ga dobro nadzirala u parku.

Međutim, misao nije bila u stanju da se pretoči u moj glas. U grlu osetih, kao da dečjim glasom razgovaram sama sa sobom, glasovne vibracije koje su zvučale istovremeno kao odrasla osoba i kao kreveljenje, taj način govora koji sam oduvek prezirala. Karla je tako pričala, prisetih se: bilo joj je petnaest godina, a činilo se da joj je šest, možda i dan-da-našnji tako priča. Mnoge žene nisu u stanju da se odviknu od prenemaganja detinjim glasom. Ja sam ga se odrekla veoma rano, s deset godina već sam se trudila da zvučim kao velika. Ni u ljubavnim trenucima nikad nisam izigravala devojčicu. Žena treba da je žena.

„Idi Karanu", posavetova me sirotica s Trga Macini snažnim napolitanskim naglaskom, ovoga puta se pojavivši u jednom uglu pored prozora, „neka ti on pomogne."

Ne mogoh odoleti, požalih se tihim glasom devojčice izložene opasnosti, nevine pred svim što želi da joj naškodi:

„Karano je otrovao Ota. Zapretio je time Mariju. I najbezazleniji ljudi u stanju su da počine ružna dela."

„Ali i dobra dela, kćeri moja. Idi, on je jedina osoba u zgradi, jedini koji ti može pomoći."

Kakva sam glupača, nije trebalo da se upuštam u razgovor s njom. Da vodimo dijalog, ni manje ni više. Kao da pišem svoju knjigu, pa u glavi imam privid osoba i likova. Međutim, nisam pisala knjigu, niti sam sedela ispod majčinog stola ponavljajući tihim glasom sirotičinu priču. Razgovarala sam sama sa sobom. Tako se počinje, kad odgovaraš na sopstvene reči kao da su tuđe. Kakva greška. Moram se čvrsto držati za stvarnost, prihvatiti postojanost predmeta oko sebe, verovati u njihovu stalnost. Žena je prisutna samo u mojim sećanjima iz detinjstva. Nema razloga da je se plašim, ne treba ni da obraćam pažnju na nju. U mislima nam borave i živi i mrtvi. Ono bitno je da čovek zna za meru, gde povlači granice, na primer da nikad ne razgovara sam sa sobom. Kako bih se prisetila gde sam i ko sam, uronih obe šake u Otovo krzno, iz njega je izbijala nepodnošljiva vrelina. Čim ga dotakoh, čim ga pomazih, kao da se trgnu, podiže glavu, raširi bele oči, zareža besno pljujući bale iz usta. Povukoh se uplašena. Pas nije želeo da prisustvujem njegovoj patnji, terao me je od sebe kao da ne zaslužujem da mu olakšam muke.

Žena mi reče:

„Imaš malo vremena. Oto umire.“

## 24.

Pridigoh se, užurbano izađoh iz sobe i zatvorih vrata za sobom. Pravila sam velike korake kako me ništa ne bi zaustavilo u naumu. Olga maršira hodnikom, kroz dnevnu sobu. Odlučna je da popravi situaciju iako joj se devojčica koju ima u glavi i dalje obraća sladunjavim glasom, govori joj: Ilarija ti je uzela šminku, ko zna šta radi u kupatilu, ništa više nije stvarno tvoje, ona ti sve uzima, idi da je išamaraš. Pa ipak, smesta usporih korak, teško sam podnosila uzbuđenje, ukoliko je svet oko mene ubrzavao korak, ja sam ga usporavala. Olga se plaši mahnitosti, plaši se da će joj užurbane reakcije – brzi koraci, nagli pokreti – pomesti um, ne može da podnese buku koju joj izazivaju u glavi, slepoočnice joj pulsiraju, oseća mučninu u stomaku, obliva je hladan znoj, oseća mahnitu potrebu da se ubrza još više i više. I stoga nema užurbanosti, smiri se, koračaj polako, skoro pa nemarno. Podesih stisak štipaljke na ruci kako bih se naterala da prestanem o sebi da govorim u trećem licu, kao o Olgi koja želi da potrči, kako bih opet bila ja, koja posmatram blindirana vrata, ja koja znam ko sam, ja koja znam šta radim.

Pamćenje me i dalje služi, pomislih. Nisam od onih ljudi koji zaborave i kako se zovu. Sećam se. Prisetih se, na primer, dvojice radnika koji su mi postavili vrata, starijeg i mlađeg. Koji mi je od njih dvojice rekao: budite oprezni, gospođo, nemojte da silite vrata, vodite računa o tome kako se služite ključevima, ah, mehanizmi su tako delikatne stvari. Izrugivali su mi se. Sve te aluzije, ključ koji se gura vertikalno, ključ koji se gura horizontalno, hvala bogu da znam kako se to radi, oduvek. Ako sam nakon onoga što mi je učinio Mario, nakon njegovog napuštanja kome je prethodila dugogodišnja prevara, uspela da ostanem to što jesam, da se izborim sa svim nemirima i raznim problemima tih meseci, tu na vrućini, početkom avgusta, to znači da se ono čega sam se plašila otkad sam bila devojčica – da ću kad odrastem postati poput sirotice, eto kakav sam strah u sebi gajila čitave tri decenije – nije dogodilo, dobro sam to podnela, odlično, čvrsto se držim za deliće svog života, čestitam, Olga, uprkos svemu uspela si da ostaneš to što jesi.

Zaustavih se pred blindiranim vratima, osećala sam se zadihano kao da sam zaista trčala. U redu, zamoliću za pomoć Karana, iako je možda on taj koji je otrovao Ota. Nemam drugog izbora, zamoliću ga da se poslužim njegovim telefonom. A ukoliko ponovo pokuša da mi se uvuče u gaće, da mi ga gurne u dupe, odgovoriću mu: ne, trenutak za to je prošao, ovde sam zato što u kući imam hitan slučaj, nemoj da pomišljaš ko zna šta. Reći ću mu to odmah, kako mu ne bi ni palo na pamet da sam se vratila zbog *one stvari*. Kad izgubiš priliku, ne pružaju se druge. Uostalom, tog jednog puta svršio si sam u prezervativ, govnaru jedan.

Međutim, i pre nego što pokušah, znala sam da se vrata neće otvoriti. Kada se uhvatih za ključ i pokušah da ga okrenem, dogodi se ono čega sam se plašila. Ključ se ne okrenu.

Osetih kako me hvata panika, upravo ona reakcija koju sebi nisam smela da dopustim. Pokušah da uprem snažnije, cimala sam ključ mahnito, pokušah da ga okrenem prvo na levu stranu, potom i na desnu stranu. Ništa. Pokušah zatim da ga izvučem iz brave ali ne izađe iz nje, bio je zaglavljen kao da se stopio s bravom. Stadoh udarati pesnicama po vratima, grunuh u njih ramenom, pokušah ponovo da okrenem ključ, čitavo telo iznenada mi se beše probudilo, hvatao me je očaj. Kada se predadoh, primetih da sam sva oblivena znojem. Spavaćica mi je bila prilepljena uz telo, zubi su mi cvokotali. Bio je to vreo dan, a meni je ipak bilo hladno.

Šćućurih se na podu da razmislim. Radnici mi behu rekli da treba da budem oprezna, da mehanizam može da se pokvari. To su mi, međutim, rekli onim tonom kojim se muškarci služe kako bi nama, ženama, stavili do znanja da su nam neophodni. Pre svega na seksualnom planu. Prisetih se keza s kojim mi je stariji pružio svoju vizitkartu, za slučaj da mi budu potrebne njegove usluge. Znala sam ja kakve usluge želi da mi pruži, bila sam sigurna da se nisu ticale blindiranih vrata. Treba, dakle, rekoh sebi, da izbrišem iz njegovih reči svaku informaciju tehničkog tipa, stručnim žargonom se poslužio samo kako bi mi nagovestio prostakluke. Što znači da treba da izbrišem i njegova upozorenja, da zaboravim na mogućnost da bi se mehanizam mogao pokvariti. Izbaci, dakle, iz misli reči te dvojice prostaka. Umiri se, zavedi red u glavi, zaboravi na sve ono što nema smisla. I pas, uostalom; zašto baš mora da bude otrovan? Izbriši reč „otrovan“. Karana sam videla izbliza – poželeh da prasnem u smeh na te reči – i nije mi delovao kao neko ko bi po parku ostavljao strihnin, možda je Oto jednostavno pojeo nešto pokvareno. Zadrži se na tom „nešto pokvareno“, čvrsto se uhvati za te reči. Realno oceni sve događaje tog dana, od trenutka kad si se probudila. Ubaci Otovo grčenje u realan kontekst, svedi događaje na pravu meru. Realno oceni i sebe. Šta sam to ja? Žena premorena od četvoromesečnih tenzija i bola, svakako ne nekakva čarobnica koja, obuzeta očajem, luči otrov sposoban da joj razboli sina, da ubije kućnog ljubimca vučjaka, da dovede do prekida telefonske linije, da pokvari mehanizam blindiranih vrata. I ubrzaj se. Deca još ništa nisu jela. Doručkuj i sama, okupaj se. Vreme leti. Razvrstaj veš po bojama. Nemaš više čistog donjeg veša. Posteljina je umrljana povraćkom. Usisaj stan. Pozavršavaj kućne poslove.

## 25.

Pridigoh se s poda izbegavajući nagle pokrete. Dugo sam posmatrala ključ, kao da se radi o komarcu kog se spremam da spljeskam, potom odlučno ispružih desnu ruku i naredih prstima da izvedu kružno kretanje ulevo. Ključ se ne pokrenu. Pokušah da ga povučem k sebi, ponadah se da će se makar malo mrdnuti, dovoljno da nađe pravi položaj, ali ne pomeri se ni milimetar. Činilo se da u pitanju više nije ključ već ispupčenje na mesinganoj ploči, nekakva njena mračna izraslina. Ispitah sama vrata, bila su sasvim glatka, bez ičega za šta bih se mogla uhvatiti, osim sjajne kvake, čvrste kvake na čvrstoj osnovi. Uzalud je, pomislih, nema drugog načina da otvorim ta vrata osim okretanjem ključa. Proučih okrugle ključaonice, ključ je virio iz one donje. Obe su bile fiksirane za vrata uz pomoć četiri mala zavrtnja. Znala sam da njihovim odvrtanjem ne bih postigla ko zna šta, ali pomislih da bi me to ohrabrilo da se ne predam.

Pođoh ka ostavi kako bih uzela kutiju sa alatom, dovukoh je do vrata. Pretražih je ali ne nađoh šrafciger pogodan za te zavrtnje, svi su bili preveliki. Onda pođoh ka kuhinji da uzmem nož. Izabrah nasumično jedan zavrtanj i zabodoh vrh sečiva u krstić, ali nož odmah skliznu, ne postiže ništa. Vratih se šrafcigerima, izabrah onaj najmanji, pokušah da ga zavučem pod donju mesinganu ključaonicu, bio je to još jedan bezuspešan pokušaj. Odustadoh nakon nekoliko pokušaja, vratih se u ostavu. Tražila sam usporeno, oprezna da ostanem usredsređena, bilo kakav predmet koji bih mogla da zavučem pod vrata, čvrst predmet kojim bih uspela da podignem vrata iz okvira, da vidim mogu li ih izvući iz šarki. Razmišljala sam, moram priznati, kao da sebi pričam kakvu bajku, ne verujući da ću pronaći odgovarajući predmet i svesna toga da, sve i da ga nađem, neću biti dovoljno snažna da izvedem svoj naum. Međutim, imala sam sreće, pronađoh kratku metalnu polugu čiji je jedan kraj bio zaoštren. Vratih se u hodnik, pokušah da podvučem zaoštreni deo predmeta pod vrata. Nije bilo dovoljno prostora, vrata su savršeno nalegala na patos, uostalom, sve i da sam uspela da ga podvučem, iznad vrata ne bi bilo dovoljno prostora da ih podignem kako bi ispala iz šarki. Pustih da poluga bučno padne na pod. Nisam znala šta drugo da pokušam, osetih se nesposobno, bila sam zatvorenica u sopstvenom domu. Prvi put tokom čitavog dana osetih kako mi se oči pune suzama i to mi ne zasmeta.

## 26.

Spremala sam se da zaplačem kada me Ilarija, koja mi se očigledno beše prikrala na vrhovima prstiju, upita:

„Šta radiš?"

Naravno, nije to bilo pravo pitanje, zapravo je samo želela da se okrenem kako bih je videla. Učinih to, trgnuh se sa odbojnošću. Na sebi je imala moju odeću, beše se našminkala, s glave joj je visila neka stara perika koju joj je poklonio otac. Na nogama je imala moje cipele s visokom potpeticom, nosila je jednu moju plavu haljinu, koja joj je bila prevelika, ometala ju je u hodu vukući se za njom po patosu, lice joj je bilo prava našminkana maska, sa sve senkom za oči, rumenilom i karminom. Učini mi se da pred sobom imam jednu od onih starih žena kepeca, o kojima mi je majka pričala da ih je videla na žičari koja se pela ka Vomeru. Bile su to bliznakinje, identične, po rečima moje majke bilo im je sto godina, koje su ulazile u kabine i bez reči počinjale da sviraju mandolinu. Kosa im je bila od kučine, oči teško našminkane, izborana lica namazana jakim rumenilom, usne nakarminisane. Nakon što bi završile svoj kratki koncert, umesto da se zahvale publici, plazile su jezike. Nikada ih ne bejah videla, ali priče odraslih pravi su izvor slika, te dve žene kepeci živele su mi u mislima. Sada je preda mnom stajala Ilarija, i činilo mi se da je došla upravo iz jedne od tih priča iz mog detinjstva.

Kada postade svesna gađenja koje mora da mi se videlo na licu, devojčica se zbunjeno osmehnu, oči joj se zacakliše, reče kao da želi da se opravda:

„Iste smo."

Ta rečenica mi zasmeta, osetih drhtaj u telu, za tren izgubih ono malo pribranosti.

Šta je značilo to iste smo, u tom trenutku bilo mi je potrebno da ličim samo na sebe. Nisam mogla, nisam smela sebe da vidim kao jednu od starica sa žičare. Na samu tu pomisao osetih vrtoglavicu, mučninu. Sve poče da se urušava. Možda, pomislih, ni sama Ilarija nije Ilarija. Možda je zaista jedna od malih žena s Vomera, možda se i ona ovde pojavila poput sirotice koja se utopila u blizini Mizenskog vrha. Ili možda nije? Možda sam ja, baš ja, odavno jedna od tih starih sviračica mandoline, a Mario je to otkrio i zato me je ostavio. I ne primetivši to, pretvorila sam se u jednu od njih, u figuru iz detinjih fantazija, i Ilarija mi sada, poput ogledala, samo pokazuje kakva sam, samo je pokušala da se našminka poput mene. To je istina koju sam sad otkrivala, nakon što se skrivala trideset godina. Da ja više nisam ja, da sam sad neka druga, kao što sam strahovala od samog buđenja tog jutra, kao što sam strahovala ko zna koliko dugo. Opiranje više nije imalo nikakvog smisla, izgubila sam se baš u trenutku kad sam davala sve od sebe da se ne izgubim, nisam više bila ni tu u predsoblju mog stana, pred blindiranim vratima, u borbi s neposlušnim ključem. Samo sam se pretvarala da sam tu, kao u dečjoj igri.

Prikupih snagu, ščepah Ilariju za ruku, odvukoh je hodnikom ka kupatilu. Bunila se ali mlitavo, spade joj jedna cipela, pokušavala je da se izvuče iz mog stiska, spade joj i perika, reče mi:

„Zla si, ne mogu da te podnesem."

Otvorih širom vrata od kupatila izbegavajući ogledalo, odvukoh devojčicu sve do prepunjene kade. Uzeh jednom rukom Ilariju za glavu i uronih joj je u vodu, trljajući joj lice energično drugom rukom. Stvarnost, stvarnost, bez rumenila. To mi je sada bilo potrebno, ukoliko sam želela da se spasem, da spasem svoju decu, psa. Da sebi dodelim ulogu spasitelja.

Eto, oprala sam je. Izvukoh joj glavu iz vode, a ona mi ispljunu vodu u lice dahćući, koprcajući se, željno grabeći vazuh i vičući:

„Nagutala si me vode, zamalo da me udaviš!"

Ponovo osetih želju da zaplačem, rekoh joj sa iznenadnom nežnošću:

„Želela sam da vidim kako je lepa moja Ilarija, zaboravila sam koliko si lepa."

Zahvatih malo vode dlanom i dok je ona pokušavala da se izvuče, povlačila se preda mnom, stadoh da joj ribam lice, usne, oči, razmazujući joj po licu tragove šminke, razlivala sam ih po licu sve dok ne postade devojčica plavičastog lica.

„Eto te", rekoh i pokušah da je zagrlim, „takva mi se sviđaš."

Ona me odgurnu, povika:

„Ostavi me. Zašto ti možeš da se šminkaš, a ja ne mogu?"

„U pravu si, neću ni ja."

Pustih je i uronih lice i kosu u hladnu vodu. Osetih se bolje. Kada se izvukoh na površinu i istrljah kožu lica obema rukama, osetih pod prstima natopljeni komadić vate u nosu, pažljivo ga izvadih i bacih u kadu. Vata nastavi da pluta, crna od krvi.

„Jel' bolje ovako?"

„Bile smo lepše pre."

„Lepe smo ako se volimo."

„Ti mene ne voliš, povredila si mi zglob."

„Ja te mnogo volim."

„Ja tebe ne."

„Stvarno?"

„Ne."

„Onda, ako me voliš, moraš da mi pomogneš."

„Šta treba da uradim?"

Osetih nekakav trzaj, otkucaj pulsa, naglo razdvajanje stvari, okrenuh se nesigurno ka ogledalu. Nisam bila u dobrom stanju: kosa mi je bila mokra i slepljena uz lice, jedna nozdrva bila je puna skorele krvi, šminka razmazana i u grudvicama, karmina više nije bilo na usnama ali je bio razmazan ka nosu i po bradi. Pružih ruku kako bih uzela tufer.

„Dakle?", navaljivala je Ilarija nestrpljivo.

Njen glas do mene je dopirao kao s velike razdaljine. Samo na tren, zatim se prenuh. Prvo da lepo skinem šminku. Zahvaljujući bočnim ogledalima, videh razdvojene, udaljene jednu od druge, dve polovine svog lica, prvo se zagledah u desni profil potom u levi. Oba su mi bila potpuno strana, obično nisam koristila bočna ogledala, prepoznavala sam samo odraz koji mi je pružalo veliko ogledalo. Sada pokušah da ih namestim kako bih se dobro sagledala, spreda i sa strane. Nijedan tehnološki pronalazak sve do danas nije prevazišao ogledalo i snove. Pogledaj me, rekoh ogledalu jedva otvorivši usne, šapatom. Ogledalo me je proučavalo. Frontalni odraz me je umirivao, potvrđivao mi je da sam Olga i da ću možda uspeti da preživim taj dan, ali su mi profili pokazivali da nije tako. Prikazivali su mi potiljak, ružne, žive uši, nos s blagom grbom, koji mi se nikada nije sviđao, bradu, visoke jagodice i kožu nategnutu na obrazima, poput flispapira. Osetih da na te profile Olga nema nikakav uticaj, da je previše slaba, previše neubedljiva. Kakve veze, uostalom, imaju ti prizori? Bolja strana, gora strana, skrivena geometrija. Ja sam živela verujući da sam ta frontalna Olga, drugi su mi međutim oduvek pripisivali nestalan, promenljiv sklop moja dva profila, spajali su ih u lice o kome ja nisam znala ništa. Nisam znala ni kakvo je lice i telo video Mario, naročito Mario kome sam verovala da sam podarila Olgu, Olgu iz centralnog ogledala. Da li me je on sastavio na osnovu ta dva varljiva profila bez koordinacije, ko zna kakvu mi je fizionomiju pripisivao, ko zna kakav sklop mojih crta i delova tela ga je naveo da se zaljubi, a kakav mu se kasnije učinio odbojnim i naveo ga da se odljubi. Za Marija – pomislih uz drhtaj – nikad nisam bila Olga. Čulni utisci i osećanja prema njoj – postade mi jasno iznenada – bili su obična varka nakon izlaska iz adolescencije, moja iluzija o stabilnosti. Odsad, ukoliko želim da se izvučem, moram da se uzdam u ta dva profila, u njihovu nepovezanost više nego u njihovu prisnost i da, pošavši od njih, malo-pomalo povratim samopouzdanje, da odrastem.

Taj zaključak mi se učini veoma istinitim. Uverenje potkrepih i time što, zagledavši se u levu stranu lica, u raznobojnoj fizionomiji svog skrivenog profila, prepoznah sirotičine crte lica, nikada ne bih pomislila da su nam i one zajedničke. Mora da se, dok je silazila stepeništem, prekidajući moju igru i igru mojih drugarica kako bi prošla pored nas, sa odsutnim pogledom punim patnje, njen profil pritajio u meni, njega sam sad nudila ogledalu. Žena iz ogledala mi prošaputa:

„Seti se da pas umire i da Đanija trese teška groznica.“

„Hvala“, rekoh bez straha, štaviše sa zahvalnošću.

„Hvala za šta?“, upita Ilarija ljutito.

Prenuh se.

„Hvala što si obećala da ćeš mi pomoći."

„Pa još mi nisi rekla ni šta hoćeš da uradim!"

Osmehnuh se, rekoh joj:

„Pođi sa mnom, pokazaću ti."

## 27.

Pokrenuh se, činilo mi se da sam samo vazduh zarobljen između dve, loše spojene, polovine jedne figure. Osećala sam se besciljno tumarajući tim poznatim stanom. Njegove prostorije behu se pretvorile u udaljene, međusobno nepovezane platforme. Jednom davno, pre pet godina, dobro sam poznavala njegove dimenzije, bejah izmerila svaki njegov kutak, brižljivo sam ga uredila. Sada, međutim, nisam znala kolika razdaljina deli kupatilo od dnevne sobe, dnevnu sobu od ostave, ostavu od ulaznih vrata. Neka nevidljiva sila vukla me je tamo-amo kao u igri, osećala sam vrtoglavicu.

„Mama, pazi", reče mi Ilarija i uze me za ruku. Lelujala sam se, malo je falilo da padnem. Kad stigosmo do ulaznih vrata, pokazah joj kutiju sa alatkama.

„Uzmi čekić", rekoh, „i pođi za mnom."

Vratismo se nazad, Ilarija je s ponosom pridržavala čekić obema rukama, činilo se da je napokon zadovoljna što me ima za majku. I ja sam bila zadovoljna. Kada se nađosmo u dnevnoj sobi rekoh joj:

„Stani ovde i udaraj čekićem u pod bez prestanka."

Ilarija me pogleda radosno.

„Tako ćemo naljutiti gospodina Karana."

„Baš tako."

„A ako dođe da se žali?"

„Pozovi me, pa ću ja da pričam s njim."

Devojčica pođe ka sredini sobe i držeći čekić obema rukama stade lupati po podu.

Sada, pomislih, treba da vidim kako je Đani, zaboravljam na njega, kakva sam nepažljiva majka.

Razmenih sa Ilarijom još jedan zaverenički pogled i krenuh ka dečjoj sobi, ali mi se pogled zadrža na jednom predmetu kome tu, ispod police s knjigama, nije bilo mesto. Bila je to boca sa insekticidom, mesto joj je bilo u ostavi a ne tu na podu, primetih uočljiva ulubljenja od Otovih zuba, beše ispalo i belo dugme za raspršivanje.

Podigoh je da je ispitam, zagledah se oko sebe dezorijentisano, primetih mrave. Kretali su se u dugom nizu u dnu police, ponovo su napadali stan, možda su oni bili jedina nit koja ga je držala u jednom komadu, koja ga je sprečavala da se sasvim ne raspadne. Bez njihove tvrdoglavosti, pomislih, Ilarija bi za mene sada bila udaljena mrlja na podu, soba u kojoj leži Đani bila bi nedostupnija od utvrđenja s podignutim mostom, soba puna bola, u kojoj leži Oto u agoniji, bila bi neprobojan lazaret za gubavce, a moja osećanja, misli i sećanja, poznata mesta, rodni grad i sto pod kojim sam slušala priče moje majke postali bi fina prašina koja treperi na usijanom avgustovskom vazduhu. Ostavi mrave na miru. Možda mi oni uopšte nisu neprijatelji, pogrešila sam što sam pokušala da ih istrebim. Ponekad su najneprijatniji elementi, za koje nam se čini da ruše povezanost sveta oko nas, zapravo zaduženi da održe njegovu celovitost.

Ta poslednja misao zatutnja mi u glavi, trgoh se, nije bila moja. Čula sam je sasvim jasno, bila je do te mere glasna da je nadjačala Ilarijino marljivo čekićanje. Skrenuh pogled s boce spreja koju sam imala u rukama na moj radni sto. Telo sirotice iz Napulja sedelo je na njemu poput mase od presovane hartije, poput veštački spojenih profila mog lica. U životu su je održavale moje vene, videla sam kako se plave, kako, otkrivene i vlažne, pulsiraju. I njeno grlo, njene glasne žice, čak i dah od kog su podrhtavale, pripadali su meni. Nakon što izgovori te reči bez smisla, nastavi nešto da zapisuje u moju svesku.

Iako se ne mrdnuh s mesta, uspeh jasno da vidim šta piše. Njene beleške na mojim stranicama. Ova soba je previše prostrana, beležila je mojim rukopisom, ne mogu u njoj da se koncentrišem, ne polazi mi za rukom da shvatim gde se nalazim, šta ovde radim i zašto. Noć je preduga, nikako da prođe, možda me je iz tog razloga muž ostavio, želeo je noći koje brzo prolaze pre nego što ostari i umre. Potrebno mi je manje, sigurnije mesto kako bih dobro pisala, kako bih stigla do suštine svakog od tih pitanja. Da izbrišem suvišno. Da se uhvatim za ono suštinsko. Da pišem istinito i govorim iz majčine utrobe. Okreni novi list, Olga, počni iz početka.

Prethodne noći nisi legla da spavaš, reče mi žena sa stola. Sećala sam se, međutim, da sam legla u krevet. Malo sam odspavala, zatim sam se pridigla pa opet utonula u san. Mora da sam se u krevet bacila u kasne sate, poprečno, eto zašto sam se probudila u neobičnom položaju.

Budi, dakle, oprezna, ne dopusti da ti se događaji izmešaju u glavi. Mora da je već tokom noći nešto u meni popustilo, raspuklo se. Razum i sećanje su se razlistali, to je moguće kad čovek predugo trpi preveliki bol. Verovala sam da sam legla da spavam, a zapravo to nisam učinila. Ili zaista jesam legla samo kako bih odmah ustala. Ah, to neposlušno telo. Sela sam da pišem u svoju svesku, stranicu za stranicom. Pisala sam levom rukom kako bih se izborila sa strahom, kako bih se izborila s poniženjem. Verovatno se sve tako odigralo.

Protresoh bocu s insekticidom, možda sam se čitave noći uzalud borila s mravima. Možda sam naprskala insekticid u svaki kutak stana pa je zbog toga Otu pozlilo, zbog toga je Đani onoliko povraćao. Ili možda nije tako. Možda moji mračni profili izmišljaju krivice s kojima Olga nema ništa. Pokušavaju da me prikažu kao nemarnu, neodgovornu, nesposobnu, da me unize kako bi dodatno pogoršali realnu situaciju u kojoj se nalazim, kako bi me sprečili da postavim granice, da shvatim šta je stvarno a šta nije.

Položih bocu na jednu policu, pođoh ka vratima na vrhovima prstiju kao da ne želim da uznemiravam sen žene za stolom, koja je nastavljala da piše, i Ilariju, koja je metodično lupala po podu. Krenuh ponovo ka kupatilu boreći se sa umišljenim krivicama. Jadni dečačić, moj nežni sin. Potražih analgin u neredu u kredencu s lekovima, i kada ga nađoh nakapah dvanaest kapi (tačno dvanaest) u čašu vode. Da li je moguće da sam bila tako neoprezna? Da li je moguće da sam čitave noći prskala insekticid po stanu sve dok nisam ispraznila bocu, ne otvorivši prozore?

Već u hodniku do mene dopre zvuk Đanijevog povraćanja. Zatekoh ga kako se naginje preko kreveta, zatvorenih očiju, napetog lica, otvorenih usta, dok ga je neka nevidljiva sila bezuspešno protresala. Hvala bogu da više nisam bila u stanju da zadržim ništa, osećaje, osećanja, sumnje. Slika se nanovo menjala, javljale su se druge činjenice, druge mogućnosti. Na pamet mi pade topovska cev ispred Citadele. Šta ako je, uvukavši se u stari top, Đani udahnuo nekakvu užasnu bolest iz udaljenih predela, znak da svet ključa, da se sve menja, da granice nestaju, ono što je bilo daleko sada je blizu, prevratničke glasove, antičke i nove ode, ratove koji su nam pred vratima. Prepuštala sam se fantazijama i strahovima. Racionalni univerzum, koji bejah usvojila nakon izlaska iz adolescencije, urušavao se preda mnom. Iz tog razloga sam se trudila da sve radim usporeno, da mi svaki pokret bude promišljen, međutim taj svet se s prolaskom godina vrtoglavo okretao oko mene i njegova sferična figura svela se na tananu, kružnu ploču, tako tanku da se, čim bi krenula da se truni, činilo da u sredini ima rupu, ubrzo će postati poput burme i naposletku će sasvim nestati.

Sedoh pored Đanija, pridržah mu čelo, podstakoh ga da povrati. Ispljunu zelenkastu pljuvačku, i pade nazad u krevet plačući iznemoglo.

„Zvao sam te, a ti nisi došla", prebaci mi kroz suze.

Obrisah mu usne, oči. „Bila sam obuzeta drugim problemima", pokušah da se opravdam, „morala sam da rešim nešto neodložno, nisam te čula."

„Jel' istina da je Oto pojeo otrov?"

„Nije."

„Ilarija mi je to rekla."

„Ilarija priča gluposti."

„Ovde me boli", uzdahnu pokazujući mi potiljak i vrat, „mnogo me boli, ali neću čepić."

„U redu, moraš samo da popiješ ove kapi."

„Onda ću ponovo da povraćam."

„Nećeš, ako popiješ kapi nećeš povraćati."

S mukom ispi vodu, oseti nadražaj da povrati, spusti glavu na jastuk. Opipah mu čelo, gorelo je. Dodir s njegovom suvom kožom, usijanom poput folije za tortu tek izvučene iz rerne, bio mi je nepodnošljiv. Učini mi se nepodnošljivim i Ilarijino čekićanje, čak i sa udaljenosti. Bili su to energični udarci, odzvanjali su čitavim stanom.

„Šta je to?", upita Đani uplašeno.

„Komšija obavlja radove."

„Smeta mi, idi da mu kažeš da prestane."

„U redu", umirih ga, a potom ga naterah da ponovo stavi toplomer. Pristade samo zato što ga zagrlih obema rukama i čvrsto ga privih uz sebe.

„Moj dobri dečačić", pevušila sam ljuljajući ga, „moj bolesni dečačić koji će sad brzo da ozdravi."

U roku od nekoliko minuta, uprkos Ilarijinim upornim udarcima, Đani nanovo utonu u san, međutim kapci mu se ne spustiše sasvim, kroz trepavice su se i dalje nazirali ružičasti rub očiju i delić beonjača. Pričekah još malo, zabrinuta njegovim teškim disanjem i trepenjem očiju koje sam osećala pod trepavicama, zatim mu izvadih toplomer. Živa se beše dodatno popela, pokazivala je skoro četrdest stepeni.

Spustih toplomer na komodu, sa odvratnošću, kao da je u pitanju živi stvor. Đanija spustih na posteljinu posmatrajući mu otvorena crvena usta, razjapljena kao da je mrtav. Ilarijini udarci protresali su mi mozak. Povrati se, popravi ono što si pokvarila tokom noći i tokom dana. Oni su moja deca, stvorenjca koja mi pripadaju. Bez obzira na to što ih je Mario začeo sa ko zna kakvom ženom koju beše umislio; bez obzira na to što sam ja verovala da sam Olga kada sam ih s njim pravila; bez obzira na to što moj muž, ponovo zaslepljen, sada smisao i vrednost pripisuje samo nekom devojčurku po imenu Karla, a na meni više ne prepoznaje ni telo ni fizionomiju koju mi beše pripisao kako bi mogao da me voli, da me oplodi; bez obzira na to što ja nikada nisam bila ta žena niti – sada mi je to bilo jasno – Olga za koju sam verovala da sam; bez ozbira na to što sam, o bože blagi, samo loše povezana celina sastavljena od dve strane, šuma kubističkih figura nepoznata i sebi samoj, ta stvorenjca mi pripadaju, ta stvarna stvorenja koja su izašla iz mog tela, ovog tela, imala sam odgovornost prema njima.

I zato, uz napor koji se graničio s nepodnošljivim, stadoh na noge. Neophodno je da se priberem, da shvatim šta mi se događa. Da uspostavim smesta kontakt sa stvarnošću.

## 28.

Gde li sam ostavila mobilni telefon? Gde li sam ostavila delove onog dana kad sam ga razbila o zid? Uđoh u spavaću sobu, stadoh kopati po fiokama, tamo nađoh dva razdvojena ljubičasta dela.

Iako o mehanici mobilnih telefona nisam znala ništa, verovatno upravo iz tog razloga, pokušah sebe da ubedim da nije stvarno slomljen. Ispitivala sam polovinu na kojoj su bili ekran i tastatura, pritisnuh dugme da ga uključim, ne dogodi se ništa. Možda je, pomislih, dovoljno da spojim dva dela kako bi proradio. Neko vreme sam se petljala s njima ne znajući šta radim. Vratih na mesto poluizvučenu bateriju, pokušah da spojim delove. Postade mi jasno da su se delovi razdvojili zato što je centralni deo slomljen, da je žleb okrnjen. Pravimo predmete po uzoru na sopstvena tela, spajamo dve razdvojene strane. Ili ih smišljamo da se spajaju kao što se mi spajamo s voljenim telom. Stvorenja koja nastaju iz banalnih fantazija. Uprkos uspehu na poslovnom planu, uprkos inteligenciji i stručnosti, Mario je – iznenada pomislih – čovek banalnih fantazija. Možda bi, upravo iz tog razloga, on bio u stanju da povrati funkcionalnost mom telefonu. I na taj način bi spasao psa i sina. Uspeh zavisi od sposobnosti da sračunato i precizno manipulišemo stvarnošću. Nisam umela da se prilagodim, nisam bila u stanju da se sasvim povinujem pred Mariovim pogledom. Pokušala sam. Glupača kakva jesam, pokušala sam da se postavim pod pravi ugao, uspela sam da prigušim čak i svoj poriv za prepuštanjem fantazijama. To mu, međutim, nije bilo dovoljno, bez obzira na to, povukao se, otišao je da se čvršće spoji s nekim drugim telom.

Ne, prekini. Koncentriši se na telefon. Pronađoh u fioci zelenu vrpcu, čvrsto privezah dva dela i pokušah da uključim telefon. Ništa. Ponadah se čudu, pokušah da oslušnem ima li signala. Ništa, ništa, ništa.

Ostavih telefon na krevetu, zamorena Ilarijinim čekićanjem. Potom se iznenada prisetih kompjutera. Kako sam samo zaboravila na njega? Za to sam bila sama kriva, ništa nisam znala, eto još jednog dokaza. Pođoh ka dnevnoj sobi, kretala sam se kao da su udarci čekića kakva siva zavesa kroz koju treba da prođem ispruženih ruku, pipajući naslepo.

Zatekoh devojčicu šćućurenu, kako i dalje udara čekićem u isto mesto. Udarci su pravili nepodnošljivu buku, ponadah se da je nepodnošljiva i za Karana.

„Mogu li da prestanem?", upita me oblivena znojem, rumenog lica, zacakljenih očiju.

„Ne, važno je da nastaviš."

„Nastavi ti, ja sam se umorila."

„Moram nešto drugo hitno da obavim."

Za mojim stolom sada nije bilo nikoga. Sedoh, stolica je bila hladna, nije odisala ljudskom toplinom. Uključih kompjuter, kliknuh na ikonu imejla. Nadala sam se da ću biti u stanju da se povežem na internet uprkos telefonskim smetnjama, nadala sam se da je pokvaren samo telefonski aparat, da je potrebno da ga zamenim kao što mi beše rekao radnik iz telefonske centrale. Nameravala sam da pošaljem poziv u pomoć svim prijateljima i poznanicima na mojoj i Mariovoj listi. Međutim, kompjuter više puta bezuspešno pokuša da se poveže na internet. Uspostavljao je liniju ispuštajući duge, obeshrabrujuće zvuke, uzdisao je i odustajao. Čvrsto sam stiskala ivice tastature, osvrnuh se oko sebe nervozno, pogled mi pade na moju i dalje otvorenu svesku, na rečenice podvučene crvenim mastilom: „Gde sam to? Šta ovde radim? I zašto?" Bila su to Anina pitanja, glupa pitanja motivisana sumnjom da se ljubavnik sprema da je prevari, da je napusti. Kakvi besmisleni nemiri nas navode da formulišemo takva pitanja? Ilarijino čekićanje neko vreme je prekidalo nervozne zvuke kompjuterskog povezivanja, kao da se kakva jegulja praćaka po stanu, a devojčica pokušava da je isecka na komadiće. Trudila sam se to da podnesem ali ne mogoh više da izdržim.

„Prekini", zaurlah, „prekini više to čekićanje!"

Ilarija razjapi usta od zapanjenosti, prestade.

„Lepo sam ti rekla da hoću da prekinem."

Klimnuh glavom uznemireno. Ja sam popustila, Karano nije. Ni iz jednog dela zgrade nisu dopirali znaci života. Ponašala sam se neuračunljivo, nisam bila u stanju ni da se držim usvojene strategije. Jedini saveznik koga sam imala na čitavom svetu bila je ta sedmogodišnja devojčica, a sve vreme sam bila u opasnosti da i svoj odnos sa njom pokvarim.

Pogledah ekran kompjutera, nije bilo rezultata. Ustadoh od stola i pođoh da zagrlim kćerku, ispustih dug jauk.

„Boli li te glava?", upita me ona.

„Sada će sve da me prođe", odgovorih joj.

„Hoćeš da ti izmasiram slepoočnice?"

„Hoću."

Sedoh na pod dok mi je Ilarija prstima pažljivo trljala slepoočnice. Eto, ponovo sam se prepuštala, zapitah se koliko mi vremena preostaje, šta li je sa Đanijem i Otom.

„Od ovoga će sve da te prođe", reče mi, „je l' sad bolje?"

Klimnuh glavom.

„Zašto si stavila tu hvataljku na ruku?“

Prenuh se, videh hvataljku, bejah sasvim zaboravila na nju. Bol koji mi je nanosila beše postao sastavni deo mog tela. Ničemu, dakle, nije poslužila. Skinuh je, stavih je na pod.

„Služi mi da ne zaboravim. Danas je takav dan da sve zaboravljam, ne znam šta da radim.“

„Ja ću ti pomoći.“

„Zaista?“

Pridigoh se, uzeh sa stola metalni nož za hartiju.

„Uzmi ovo“, rekoh joj, „ukoliko vidiš da sam rasejana, ubodi me.“

Devojčica uze nož za hartiju, zagleda se u mene.

„Kako ću da znam da si postala rasejana?“

„Primetićeš to. Kad je čovek rasejan više ne oseća mirise, ne čuje šta mu govoriš, ništa ne oseća.“

Pokaza mi nož za hartiju.

„A ako ni ovo ne osetiš?“

„Ubodi me jače, sve dok ga ne osetim. Dođi sada.“

## 29.

Povukoh je za sobom ka ostavi. Pretražih svaki njen kutak u potrazi za kakvim debelim kanapom, bila sam uverena da ga imam. Međutim, pronađoh samo klupko kanapa za pakete. Vratih se u predsoblje, vezah jedan kraj kanapa oko kratke gvozdene poluge koju bejah ostavila na podu, kraj blindiranih vrata. Vratih se u dnevnu sobu praćena Ilarijom, potom izađoh na balkon.

Tamo me dočeka nalet toplog vetra koji samo što beše povio grane drveća izazvavši uznemireno šuštanje lišća. Na tren mi ponesta daha, kratka spavaćica pripi mi se uz telo, Ilarija se uhvati za njen rub kao da se plaši da će odleteti. U vazduhu se osećao snažan miris divlje nane, prašine i sasušene kore drveća.

Nagnuh se preko ograde balkona, pokušah da sagledam balkon ispod njega, onaj koji je pripadao Karanu.

„Pazi da ne padneš", reče mi Ilarija zabrinuto, vukući me za spavaćicu.

Vrata su bila zatvorena, nije se čulo ništa osim poja ptica i udaljene tutnjave autobusa. Reka je bila poput prazne sivkaste piste. Nisu se čuli ljudski glasovi. Na spratovima ispod, s moje leve i desne strane, nije bilo znakova života. Nagnuh se još malo, kako bih oslušnula mogući zvuk muzike s radija, kakvu pesmu, televizijsko čavrljanje. Ništa, ili makar ništa iz blizine, ništa što povremeno šuštanje lišća nošenog naletima vrelog vetra nije činilo neraspoznatljivim. Povikah više puta, slabim glasom koji nikada nije imao moć da odjekne snažno:

„Karano! Aldo! Ima li koga? Upomoć! Pomozite mi!"

Ne dogodi se ništa, vetar mi je skidao reči sa usana kao da sam pokušala da ih izgovorim baš u trenutku kad sam ustima prinosila šoljicu neke vrele tečnosti.

Ilarija me upita, sada vidno napeta:

„Zašto nam je potrebna pomoć?"

Ne odgovorih joj, nisam znala šta da joj kažem, promrmljah samo:

„Ništa se ne brini, snaći ćemo se same."

Prebacih polugu preko ivice balkona, spustih je na kanapu sve dok ne osetih da je dodirnula ogradu Karanovog balkona. Nagnuh se kako bih procenila koliko su udaljena balkonska vrata a Ilarija mi smesta pusti spavaćicu, uhvati se umesto toga za moju golu nogu, osetih njen dah na koži, reče:

„Držim te, mama."

Ispružih desnu ruku što sam više mogla, stisnuh kanap palcem i kažiprstom i pokušah da brzim, odlučnim pokretima zanjišem polugu. Videh da počinje da se kreće po Karanovom balkonu poput klatna. Sve sam se više naginjala kako bi njihanje bilo uspešnije, posmatrala sam kretanje poluge kao da želim da me hipnotiše, taj taman zašiljen predmet koji je čas leteo ka staklenim vratima čas se vraćao unazad udarajući u balkonsku ogradu mog komšije. Ubrzo prestadoh da se plašim da ću pasti, činilo mi se da me od zemlje deli samo dužina kanapa u mojoj ruci. Želela sam da razbijem Karanovo staklo. Da poluga udari u njega, da ga razbije i da mu uđe u stan, u dnevnu sobu u kojoj me je primio one noći. Poželeh da prasnem u smeh. Pomislih kako mora da je još u krevetu, da otupelo leži u polusnu, čovek na pragu fizičkog propadanja, nesigurne erekcije, povremeni neadekvatni partner za dostizanje samog dna poniženja. Osetih prezir prema njemu razmišljajući o tome kako mora da provodi dane. Naročito najvrelije sate mora da provodi dremajući u polumraku, oznojen, teško dišući, čekajući da dođe vreme da ode da svira sa ko zna kakvim bednim orkestrom bez velikih iluzija. Prisetih se njegovog hrapavog jezika, slankastog ukusa u ustima, iz takvih misli se prenuh tek kad na desnoj butini osetih ubod Ilarijinog noža za hartiju. Dobra devojčica: oprezna, razborita. To je bio taktilni podsticaj koji mi je bio potreban. Zanjihah snažno kanap, poluga se velikom brzinom izgubi na balkonu ispod mog. Čuh lomljavu stakla, kanap puče, videh kako poluga pada na balkonske pločice, sudara se sa ogradom, odskače i pada s balkona. Dugo se survavala praćena sjajnim delićima stakla, udarajući sprat za spratom o ograde nižih balkona, posmatrala sam kako postaje sve sitnija. Pade na beton odskočivši nekoliko puta uz udaljenu zvonjavu.

Povukoh se uplašena, ambis nanovo beše povratio dubinu. Osetih da mi Ilarija čvrsto steže nogu. Čekala sam da čujem muzičarev promukao glas, njegov bes što sam mu nanela štetu. Međutim, nije bilo nikakve reakcije. Vratiše se pak poj ptica i naleti vrelog vetra koji su udarali u mene i devojčicu, moju kćerku, pravi plod mog tela koji me je prizivao nazad u stvarnost.

„Bila si odlična", rekoh.

„Da te nisam držala, pala bi dole."

„Čuješ li nešto?"

„Ne čujem."

„Hajde onda da ga pozovemo: Karano, Karano, upomoć!"

Vikale smo zajedno, dugo, ali Karano ne dade znake života. Umesto njega, kao odgovor na naše dozivanje začu se dug, slab lavež, možda je u pitanju bio kakav udaljeni pas, napušten na ulici, leti, ili možda Oto, baš on, vučjak.

## 30.

Da se pokrenem, smesta, da smislim rešenja za svoje probleme. Da se ne predam pred besmislom tog dana, da zadržim na jednom mestu fragmente svog života kao da imaju nekakvu svrhu. Dadoh znak Ilariji da krene za mnom, osmehnuh joj se. Sada je ona bila oštrica mača, u ruci je stiskala nož za hartiju, zglavci joj behu pobeleli koliko je ozbiljno shvatala svoje zaduženje.

Možda će ona uspeti u onome u čemu ja nisam, pomislih. Vratismo se u hodnik, pred blindirana vrata.

„Pokušaj da okreneš ključ", rekoh joj.

Ilarija prebaci nož za hartiju iz desne u levu ruku, pruži slobodnu ruku ka vratima, ali ne doseže do ključa. Obuhvatih je onda oko struka, pridigoh je koliko je bilo neophodno.

„Da okrenem na ovu stranu?"

„Ne, na drugu."

Nežne ručice, prsti od pare. Pokuša više puta, ali nije bila dovoljno snažna. Ne bi bila u stanju da okrene ključ sve i da nije bio zaglavljen.

Spustih je dole, bila je razočarana što se nije pokazala na visini novog zadatka koji joj bejah poverila. Iznenada planu na mene:

„Zašto si me naterala da radim nešto što je tvoj zadatak?", prebaci mi ozlojeđeno.

„Zato što si bolja od mene."

„Zar više ne umeš ni vrata da otvoriš?", upita me zabrinuto.

„Ne umem."

„Kao što ti se dogodilo onom prilikom?"

Pogledah je zbunjeno.

„Kakvom prilikom?"

„Kad smo otišli na selo."

Osetih probadanje u grudima. Kako je moguće da se seća toga, zapitah se, tada je imala svega tri godine.

„Ponekad si s ključevima baš glupa pa nas obrukaš", dodade kako bi mi stavila do znanja da se događaja dobro seća.

Odmahnuh glavom. Nije tačno, s ključevima sam uopšteno bila u dobrim odnosima. Vrata sam uglavnom otvarala s lakoćom, nisam se brinula da će se ključ zaglaviti. Ponekad se pak dešavalo, naročito kad se radilo o nepoznatim bravama – o kakvoj hotelskoj sobi na primer – da se zbunim i posramljeno sam se vraćala na recepciju, naročito kad su u pitanju bile elektronske kartice. Te magnetne kartice unosile su mi veliku nervozu, bilo je dovoljno da mi padne na pamet pogrešna misao, da se zabrinem oko mogućih poteškoća i moji pokreti su gubili prirodnost, moglo se dogoditi da ne budem u stanju da otvorim vrata.

Šake su zaboravljale ispravne pokrete, prsti se nisu sećali kako da se sklope oko ključa, koliki pritisak treba da izvrše. Kao što se beše dogodilo tom prilikom. Kako sam se samo osetila poniženo. Đina, majka prevrtljive male Karle, beše mi dala ključeve njihove kuće na selu kako bih tamo otišla s decom. Na put sam pošla sama, Mario je imao posla, trebalo je da nam se pridruži narednog dana. Nakon nekoliko sati provedenih u vožnji, nervozna zbog divljeg vikendnog saobraćaja, zbog dece koja su se neprestano svađala i Ota koji je neprekidno cvileo,

još je bio štene, stigoh na odredište u kasno poslepodne. Či-
tavim putem razmišljala sam kako gubim vreme na glupo-
sti, kako više nemam vremena da čitam, da pišem, kako više
nemam društvenu ulogu koja bi mi dozvolila da se srećem
s ljudima, da se upuštam u razmenu mišljenja, da razvijam
simpatije. Šta li se dogodilo sa ženom kakva sam kao adoles-
centkinja zamišljala da ću postati, pitala sam se. Zavidela sam
Đini, koja je u to vreme radila s Mariom. Uvek su imali o čemu
da pričaju, moj muž je više vremena provodio u razgovoru s
njom nego sa mnom. Pomalo me je nervirala i Karla, koja je
delovala tako sigurna u svoju sudbinu, ponekad se usuđivala
i da me kritikuje, govorila je da se previše posvećujem deci,
kući, hvalila je moju prvu knjigu, uzvikivala: da sam na tvom
mestu, mislila bih pre svega na svoj poziv! Nije samo bila lepa,
odrasla je uz majku koja joj je usadila uverenje da je čeka bli-
stava budućnost. Dolazilo joj je sasvim prirodno da se meša u
stvari koje je se ne tiču, iako je imala samo petnaest godina
često je pokušavala da mi pridikuje, davala mi je svoj sud o
stvarima o kojima nije znala apsolutno ništa. I sam zvuk nje-
nog glasa beše počeo da mi izaziva nelagodu.

Kola sam parkirala na guvnu, i dalje obuzeta sopstvenim
mislima. Šta radim na tom mestu s dvoje dece i štenetom?
Prišla sam vratima i pokušala da ih otvorim. Međutim, koliko
god ja pokušavala i pokušavala – beše počeo da pada mrak,
Đani i Ilarija su kenjkali od umora i gladi – vrata se nisu otva-
rala. Nisam želela da telefoniram Mariju, zbog ponositosti,
zbog oholosti, kako ga ne bih stavila u situaciju u kojoj će se
osetiti primorano da mi dođe u pomoć nakon napornog dana

na poslu. Deca i mali Oto pojeli su keks i zaspali u automobilu. Ja nastavih da pokušavam da otvorim vrata sve dok me ne zaboleše prsti, počeše da trnu, napokon odustadoh, sedoh na jedan stepenik i pustih da me noć pritisne svojom težinom.

Mario je stigao narednog jutra, u deset sati. Ali nije bio sam. Zajedno s njim, kao iznenađenje, behu došle i vlasnice kuće. Šta se to dogodilo, otkud to, zašto nisam telefonirala? Pokušah da objasnim šta se desilo mumlajući, besna što se moj muž s nelagodom šali na moj račun, pravdao je moju nesposobnost, prikazivao me je kao ženu bujne mašte koja pak ne ume da se snađe s praktičnim vidovima života, jednom rečju kao glupaču. Pogled mi se – sećam se – sreo s Karlinim, tada mi se učinilo da je u pitanju saveznički pogled, pogled pun razumevanja, kao da želi da mi poruči: pobuni se, reci kako stvarno stoje stvari, reci da si ti ta koja se svakodnevno suočava s praktičnim stranama života, sa obavezama, s teretom dece. Taj pogled me je tada iznenadio, međutim sada je bilo očigledno da sam ga onda pogrešno protumačila. Ili sam ga možda dobro razumela, bio je to pogled devojčice koja se pita kako bi se ona ponela prema tom zavodljivom muškarcu da se našla na mom mestu. Đina je za to vreme uvukla ključ u bravu i otvorila vrata bez poteškoća.

Prenuh se, osetih ubod noža za hartiju na levoj ruci.

„Bila si rasejana“, reče Ilarija.

„Nisam, samo sam razmišljala da si u pravu.“

„U vezi sa čim?“

„U vezi s ključevima. Zašto tom prilikom nisam uspela da otvorim vrata?“

„Već sam ti to rekla, zato što si ponekad glupa."

„Jesam."

## 31.

Zaista sam bila glupa. Čula kao da mi behu otupela, moje telo nije odisalo životom ko zna koliko dugo. Kakvu sam samo grešku počinila ograničivši smisao svog postojanja na rituale koje mi je nudio Mario sa oprezom i bračnim zanosom. Kakvu sam samo grešku počinila poverivši njemu svest o sebi, očekujući da ću zadovoljstvo, oduševljenje i smisao života pronaći u njemu. Kakvu sam samo grešku, veću od svih drugih, počinila ubedivši sebe da ne mogu da živim bez njega, kada već odavno nisam bila nimalo uverena da sam pored njega živa. Gde je, na primer, bio dodir njegove kože pod mojim prstima, gde vrelina njegovih usana? Da sam zaista preispitala svoja osećanja – uvek sam se trudila to da izbegnem – bila bih prinuđena da priznam da je moje telo poslednjih godina bilo zaista osetljivo, zaista gostoprimljivo samo pod čudnim okolnostima, kad se susretalo sa slučajnostima. Osećala sam zadovoljstvo prilikom viđanja s kakvim poznanikom koji mi je posvećivao pažnju, koji je hvalio moj talenat i inteligenciju, ili mi dodirnuo ruku s divljenjem. U meni se budila neočekivana radost kada bih na ulici nenadano naišla na neku staru koleginicu, kada sam se upuštala u prepirke ili uživala u tišini s nekim Mariovim kolegom, koji mi beše stavio do znanja da mu je više stalo da bude moj prijatelj nego Mariov; osećala sam zadovoljstvo kada su mi u brojnim prilikama upućivani sitni znaci pažnje, kada mi se činilo da bi se, ukoliko bih okrenula određen broj telefona s kakvim izgovorom, dogodilo ko zna šta, kada mi je srce treperilo zbog tih nepredvidivih mogućnosti.

Možda je odatle trebalo da pođem kada mi je Mario saopštio da me napušta. Od činjenice da je privlačna figura nekog čoveka kog samo što bejah srela, nekog slučajnog čoveka, neke mogućnosti koja tek treba da se razmrsi ali mi pruža zadovoljstvo, u stanju da dâ smisao recimo mirisu benzina ili nekom sivom stablu platana u gradu, da zauvek veže osećaj radosti za to slučajno mesto susreta, za iščekivanje njegovog ponavljanja, dok ništa, ama baš ništa na Mariju više nije imalo taj efekat zemljotresa, svaki njegov pokret i gest bili su u stanju samo da se smeste na poznato mesto, u istu sigurnu mrežu, bez odstupanja i preterivanja. Da sam pošla odatle, od tih mojih skrivenih osećanja, možda bih bolje razumela zašto je on otišao, a zašto ja, koja sam tim povremenim uzbuđenjima suprotstavljala stabilnost našeg nežnog odnosa, sada proživljavam tako teške trenutke ogorčenosti zbog gubitka, zašto osećam nepodnošljiv bol, zabrinutost da ću izgubiti svaku izvesnost, da ću biti primorana da ponovo naučim da živim bez uverenja da sam u stanju to da učinim.

Na primer, da ponovo naučim kako se okreće ključ u bravi. Zapitah se da li je moguće da je Mario, ostavivši me, sa sobom odneo i tu moju sposobnost, da mi ju je sasvim oduzeo? Da li je moguće da je počeo da mi je oduzima već onom prilikom na selu, kada je njegovo veselo prepuštanje dvema neznankama počelo da me kida iznutra, da mojim prstima oduzima veštinu

rukovanja predmetima? Da li je moguće da su neuravnotože-
nost i bol počeli još tog dana, dok je on pred mojim očima uži-
vao u radosti zavođenja, a ja sam mu na licu prepoznala zado-
voljstvo koje sam često primećivala, ali na koje nisam obraćala
pažnju iz straha da ću pokvariti garanciju našeg odnosa?

Ilarija me ubode tačno na vreme, verujem više puta, tako
jako da poskočih, a ona se povuče uzviknuvši:

„Ti si mi rekla da te ubodem!"

Klimnuh glavom, dadoh joj znak da je dobro učinila, drugom
rukom protrljah list u koji me je ubola. Pokušah još nekoliko
puta da otvorim vrata, bez uspeha. Onda se savih da izbliza
proučim ključ. Odlučih da je to što pokušavam da se prise-
tim starih pokreta pogrešan pristup. Da treba da ih raščlanim.
Praćena Ilarijinim zapanjenim pogledom približih usta klju-
ču, dodirnuh ga usnama, osetih miris plastike i metala. Zatim
ga čvrsto uhvatih zubima i pokušah da ga okrenem. Učinih
to naglim pokretom, kao da sam se nadala da ću iznenaditi
predmet, da ću mu nametnuti nova pravila, novi vid posluš-
nosti. Da vidimo sad ko će pobediti, mislila sam, dok mi se
ustima širio neprijatan slan ukus. Međutim, ne postigoh ništa
osim osećaja da kružni pokret koji bejah napravila zubima, ne
uspevši da otključa bravu, nalazi oduška na mome licu, da ga
razdire poput otvarača za konzerve i da se sami zubi pomera-
ju s dna lica, da se kreću ka nosnoj duplji, ka obrvama i očima
pokazujući ljigavu unutrašnjost glave i grla.

Odvojih smesta usta od ključa, učini mi se da mi čitavo lice
visi s jedne strane poput delimično zguljene kore pomoran-
dže. Šta još mogu da pokušam? Da legnem na leđa, da osetim

hladan patos pod njima. Da podignem bosa stopala ka blindiranim vratima, da obuhvatim ključ tabanima, da smestim njegovo neprijateljsko naličje između peta kako bih ponovo pokušala da izvedem neophodni pokret. Da, ne, da. Neko vreme sam se držala za očaj koji je hteo sasvim da me obuzme, da me pretvori u metal, u šarke, u mehanizam poput umetnika koji radi direktno na svome telu. Potom osetih bolno probadanje na levoj butini, malo iznad kolena. Ispustih povik, postade mi jasno da me je Ilarija duboko ranila.

## 32.

Videh kako se povlači s nožem za hartiju u desnoj ruci.

„Jesi li poludela?", povikah okrenuvši se naglo, zverskim pokretom.

„Ne čuješ me", povika Ilarija, „ja te dozivam a ti me ne čuješ, radiš ružne stvari, kolutaš očima, reći ću te tati."

Zagledah se u duboku posekotinu iznad kolena, u mlaz krvi. Oteh joj nož iz ruke, bacih ga ka otvorenim vratima ostave.

„Dosta više s tom igrom", rekoh joj, „ne umeš da se igraš. Sad ostani ovde i budi mirna, da se nisi mrdnula. Zatvorene smo ovde, zarobljene, a tvoj otac nikada neće doći da nas spase. Pogledaj šta si mi uradila."

„Zaslužuješ i gore", odvrati ona očiju punih suza.

Pokušah da se smirim, udahnuh duboko.

„Nemoj sad da plačeš, da se nisi usudila da počneš da plačeš..."

Nisam znala šta više da joj kažem, šta da uradim. Činilo mi se da sam sve pokušala, da mi ne preostaje ništa drugo nego da jasno sagledam situaciju, i pomirim se s njom.

Rekoh, trudeći se da pokažem da sam u stanju da izdajem naređenja:

„U kući imamo dvojicu bolesnika, Đanija i Ota. Ti sada, bez plakanja, idi da vidiš kako ti je brat, ja idem da vidim kako je Oto.

„Moram da ostanem s tobom da te ubodem ako postaneš rasejana, sama si to rekla.“

„Pogrešila sam, Đani je sâm, potrebno mu je da mu neko opipa čelo, da na njega ponovo stavi hladne novčiće, ne mogu sve sama.“

Pogurah je ka dnevnoj sobi, ona se pobuni:

„A ako postaneš rasejana, ko će da te ubode?“

Spustih pogled na dugu posekotinu na nozi koja je i dalje krvarila.

„Ti povremeno poviči moje ime, molim te. To će biti dovoljno da ne postanem rasejana.“

Porazmisli o tome načas, potom reče:

„U redu ali požuri, sa Đanijem se dosađujem, ne ume da se igra.“

Ta poslednja rečenica me zabole. Baš zahvaljujući tom eksplicitnom pominjanju igre, osetih da Ilarija više ne želi da se igra, da u tajnosti počinje da se brine za mene. Ja sam se osećala odgovornom za dvojicu bolesnika, ona je počinjala da oseća da na svojim rukama ima nas troje. Sirota, sirota devojčica. Osećala se usamljeno, čekala je u tajnosti oca koji nikako da dođe, nije više bila u stanju da sve što se dogodilo tog dana smesti u okvir igre. Sada sam osećala njen nemir, spajao se sa mojim. Kako se sve brzo menja, pomislih, ništa nema jasne obrise. Sa svakim korakom koji sam pravila ka Đanijevoj sobi, i ka onoj u kojoj je ležao Oto, sve više sam se plašila da će mi pozliti, da ću popustiti. Moram sačuvati razboritost i pamćenje, oni uvek idu podruku, ta dvojka zdravlja.

Pogurah devojčicu u sobu, bacih pogled na još uvek usnulog dečaka i izađoh zaključavši vrata odlučnim pokretom ruke koji mi je došao sasvim prirodno. Ignorišući Ilarijine povike, dozivanje i lupanje po vratima, uputih se ka sobi u kojoj je ležao Oto. Nisam znala šta se događa sa psom, Ilarija ga je mnogo volela, nisam želela da prisustvuje nekakvom ružnom prizoru. Štitila sam je, da, to je bila istina, zabrinutost učini da se osetim bolje. U tome što se hladna svest da treba da zaštitim decu polako pretvarala u neizostavnu potrebu videh dobar znak.

U sobi u kojoj je ispod stola ležao pas sada se osećao vonj smrti. Uđoh oprezno, Oto je ležao nepomično, ne beše se pomerio ni milimetar. Šćućurih se uz njega, potom sedoh na pod.

Prvo primetih mrave, behu stigli čak i u tu sobu, istraživali su muljevitu masu iza vučjakovih leđa. Oto, međutim, za njih nije mario. Učini mi se da je posiveo, poput kakvog izbledelog ostrva na izdahu. Zelenkasta pljuvačka, koja mu se slivala iz čeljusti i sa njuške, kao da je izjedala patos pod njim, činilo se kao da tone u njega. Oči su mu bile zatvorene.

„Oprosti mi", rekoh mu.

Pređoh mu dlanom ruke kroz dlaku oko vrata, on zadrhta, otvori čeljust, zareža preteći. Želela sam oproštaj, za ono što sam možda učinila i za ono što nisam uspela da učinim. Povukoh ga k sebi, spustih mu glavu na svoje noge. Iz njega je izbijala bolesna toplota koja mi je ulazila u krv. Malo promrda ušima i repom. Pomislih da je to znak da mu je bolje, čak mi se i njegovo disanje učini lakšim. Svetlucave bale koje su mu poput glazure prekrivale rub usana se skoriše, kao da više nije osećao potrebu da proizvodi te znake patnje.

Kako je nepodnošljivo gledati telo nekog živog bića dok se bori sa smrću i čas se čini da će pobediti, čas da će izgubiti. Ostadosmo tako, ne znam koliko dugo. Otovo disanje se na mahove ubrzavalo, kao kad je bio zdrav pa bivao mahnit od želje za igrom, kad je želeo da juri na svežem vazduhu, da bude shvaćen i mažen, a na mahove je postajalo neosetno. I u telu su mu se smenjivali trenuci kada su ga protresali grčevi i kada je bio sasvim nepomičan. Osetih kako poslednji tragovi snage ističu iz njega, poput nizanja slika iz prošlosti: jurnjava kroz prskalice u parku, radoznalo kopanje po žbunju, praćenje mene po stanu kad je očekivao da ga nahranim. Ta blizina smrti i bol koji je u meni budila njegova patnja, iznenada, sasvim neočekivano, učiniše da se zastidim bola kome se bejah prepustila prethodnih meseci i tog iracionalnog dana. Osetih kako se u sobu vraća red, kako se u stanu sve vraća na svoje mesto, postadoh svesna postojanosti poda na kome sam sedela i vreline koja je pritiskala poput nevidljivog lepka.

Kako sam mogla da se prepustim na taj način, da dozvolim da me napuste čula i svest o životu. Pomilovah Ota između ušiju, on otvori prebledele oči i pogleda me. Videh mu u očima pogled dobrog vučjaka, koji umesto da me optužuje, kao da traži da ja njemu oprostim stanje u kome se nalazi. Zatim mu telom prođe snažan grč, zatvori oči, zaškripa zubima i nežno zareža. Malo potom uginu mi na rukama, i ja briznuh u nezadrživ plač koji se nije mogao meriti ni sa jednim drugim plačom kome se bejah prepustila tih dana i tih meseci.

Nakon što mi suze presušiše i nakon što mi poslednji jecaji zamreše u grudima, primetih da je Mario za mene ponovo postao dobrodušni čovek, kakav je možda oduvek bio, da ga više ne volim.

## 33.

Spustih vučjakovu glavu na patos, pridigoh se. Malo-pomalo povrati mi se čulo sluha, začuh Ilariju kako me doziva, njenim povicima beše se priključio i Đani. Zagledah se oko sebe, videh krvavi izmet, mrave i mrtvo telo. Izađoh u sobu, pođoh po đubrovnik i mokru krpu. Otvorih širom prozore, očistih sobu radeći užurbano ali efikasno. Deci u više navrata povikah:

„Samo trenutak, stižem!"

Učini mi se ružnim da Ota ostavim u sobi, nisam želela da ga deca vide. Pokušah da ga pridignem ali nisam bila dovoljno snažna. Uzeh ga za zadnje šape i odvukoh ga po podu sve do dnevne sobe, do balkona. Koliko je teško telo koje je pregazila smrt, život je tako lagan, ne treba dozvoliti nikome da nam ga oteža. Neko vreme se zadržah na balkonu, da posmatram kako se vučjakova dlaka njiše na vetru, a potom uđoh u stan i uprkos vrućini zatvorih vrata.

Stanom je zavladala tišina, sada mi se učini malim, stešnjenim, bez mračnih ćoškova, bez senki, postade maltene veseo kad se njime zaoriše dečji glasovi koji su me dozivali kroz smeh, kao u igri. Ilarija je uzvikivala *mama* glasom sopranistkinje, Đani je ponavljao *mama* glasom tenora.

Požurih ka njima, sigurnim pokretom otvorih vrata, rekoh radosno:

„Evo mame.“

Ilarija se baci na mene, udari me više puta dlanovima po butinama.

„Nije trebalo da me zaključaš ovde.“

„U pravu si, oprosti. Ali sad sam te otključala.“

Sedoh na Đanijev krevet, uverena da mu se temperatura spustila, izgledao je kao da jedva čeka da se vrati igri sa sestrom, da ponovo viče, da se smeje i da se svađa s njom. Opipah mu čelo, kapi su delovale, koža mu je bila mlaka, jedva malo oznojena.

„Boli li te još uvek glava?“

„Ne boli. Gladan sam.“

„Spremiću ti pirinač.“

„Ne volim pirinač.“

„Ni ja“, dodade Ilarija.

„Ja pravim odličan pirinač.“

„Gde je Oto?“, upita Đani.

Oklevala sam.

„Tamo je, spava, ostavite ga na miru."

Spremala sam se da dodam još nešto, nešto o vučjakovoj bolesti, nešto što bi ih pripremilo na njegov nestanak iz njihovih života kada, sasvim neočekivano, začuh zvonce na vratima.

Sve troje se skamenismo, niko se ne mrdnu.

„Tata", promrmlja Ilarija puna nade.

Rekoh:

„Ne verujem da je tata. Ostanite ovde, zabranjujem vam da se mrdnete, teško vama ako izađete iz ove sobe. Idem da otvorim."

Prepoznaše moj uobičajeni ton, oštar ali i pomalo ironičan, namerno prestroge reči za neozbiljne situacije. Prepoznadoh ga i ja, prihvatih ga, prihvatiše ga i oni.

Prođoh kroz hodnik, stigoh do ulaznih vrata. Da li je moguće da nas se Mario setio? Da je došao da vidi kako smo? To pitanje u meni ne izazva nikakve emocije, pomislih samo da će mi biti drago da s nekim porazgovaram.

Pogledah kroz špijunku. Bio je to Karano.

„Šta hoćeš?", upitah ga.

„Ništa. Hteo sam samo da vidim kako si. Izašao sam rano izjutra, da odem u posetu majci, pa nisam želeo da te uznemiravam. Po povratku sam, međutim, zatekao slomljeno staklo. Jel' se nešto desilo?"

„Jeste?"

„Treba li ti pomoć?"

„Treba."

„Možeš li da mi otvoriš, molim te?"

Nisam znala mogu li, ali mu to ne rekoh. Ispružih ruku ka ključu, čvrsto ga uhvatih prstima, lagano ga okrenuh, osetih kako mi se povinuje. Ključ se s lakoćom okrenu u bravi.

„Oh, odlično", promrmlja Karano posmatrajući me stidljivo a potom mi pokaza ružu koju je držao iza leđa, jednu jedinu ružu s dugom drškom, smešnu ružu ponuđenu smešnim gestom, s nelagodom, od strane smešnog čoveka.

Uzeh je, zahvalih mu se bez osmeha, i rekoh:

„Imam za tebe jedan neprijatan zadatak."

## 34.

Karano je bio ljubazan. Umotao je Ota u plastičnu prostirku koju je imao u podrumu, ubacio ga je u svoj automobil i otišao da ga sahrani van grada.

Odmah pozvah pedijatra, imala sam sreće, iako je bio avgust zatekoh ga kod kuće. Dok sam mu detaljno nabrajala dečakove simptome primetih da mi zglobovi snažno pulsiraju, tako snažno da se uplaših da doktor preko telefona može da čuje njihove udarce. Srce mi se ponovo nadimalo u grudima, nije više bilo prazno.

S doktorom sam razgovarala dugo, trudila sam se da mu pružim precizne informacije, sve vreme kružeći stanom, ispitujući povezanost prostora oko sebe, pipajući predmete po stanu, pri svakom dodiru s kakvom drangulijom, fiokom, kompjuterom, knjigom, sveskom ili kvakom na vratima ponavljala sam sebi: najgore je prošlo.

Pedijatar me je saslušao u tišini, stade me uveravati da nema razloga da se brinem za Đanija, reče da će navratiti naveče da ga vidi. Zatim se uvukoh pod hladan tuš, kapi vode su mi bole kožu poput igala, osetih na sebi svu otupelost minulih meseci, minulih sati. Videh prstenje koje sam po buđenju ostavila na lavabou, stavih na ruku onaj azurnoplavi, i bez oklevanja pustih da burma padne u slivnik. Ispitah ranu koju mi beše nanela Ilarija nožem, dezinfikovah je i pokrih gazom. Zatim staloženo razdvojih veš po bojama, pustih veš mašinu. Želela sam da osetim stabilnost svakodnevice iako sam dobro znala da mi u telu još traje mahnitost od prethodne noći, kao da sam u dnu kakve rupe ugledala gadno telo nekog otrovnog insekta pa se deo mene i dalje povlači pred tim prizorom mlatarajući rukama i ritajući se. Moram ponovo da naučim da se krećem odmerenim koracima ljudi koji znaju gde su krenuli i zašto, rekoh sebi.

Usredsredih se stoga prvenstveno na decu, bilo je neophodno da im saopštim da je pas uginuo. Pažljivo izabrah reči, potrudih se da pronađem pravi ton glasa, kao da im pričam kakvu bajku, ali Ilarija, bez obzira na to, briznu u dug plač a Đani, koji je isprva samo namračeno, pomalo preteći, rekao da treba da obavestimo Marija, ponovo stade da se žali na glavobolju i mučninu. I dalje sam pokušavala da utešim decu kada se vratio Karano. Pustih ga da uđe ali sam se prema njemu odnosila hladno, uprkos njegovoj uslužnosti. Deca su me neprekidno dozivala iz druge sobe. Bili su ubeđeni da im je on otrovao psa, nisu želeli da kroči u našu kuću, još manje da ja s njim razgovaram.

Uostalom, i ja sama, s gađenjem, osetih na njemu miris sveže iskopane zemlje, na njegovo stidljivo poveravanje odgovarala sam jednosložnim rečima poput kapi koje curkaju iz pokvarene česme.

Pokuša da mi prepriča vučjakovo pokopavanje, ali pošto ne pokazah zanimanje ni za lokaciju groba niti za detalje tužnog posla, kako ga je nazvao, štaviše, svako malo sam ga prekidala vičući na Ilariju i na Đanija: tišina, stižem odmah, on kao da se postide, prekinu priču. Pokuša da prenebregne dečju viku pričajući mi o svojoj majci, o tome kako mu je teško da se stara o njoj u njenoj starosti. Nastavi, sve dok mu ne rekoh da sinovi s dugovečnim majkama imaju tu nesreću da nikad ne otkriju šta je smrt i da se nikad zaista ne osamostale. Moje reči mu zasmetaše, pozdravismo se sa očiglednom nelagodom.

Tokom dana ne pokuša ponovo da me vidi. Pustih da njegova ruža uvene u jednoj vazi na mom radnom stolu, stolu koji je bio mučno lišen bilo kakvog cveća još od davnih vremena kada mi je Mario za svaki rođendan poklanjao jednu orhideju imitirajući Svona, jednog Prustovog junaka. Krunica uveče već poče da tamni, klonu tromo. Bacih ružu u đubre.

Pedijatar je došao nakon večere, bio je to jedan postariji gospodin, deci je bio drag zato što im se klanjao kada ih je posećivao, nazivao ih je gospodinom Đanijem i gospođicom Ili.

„Gospodine Đani", reče, „pokažite mi smesta jezik."

Pažljivo je pregledao dečaka i za njegovu bolest okrivio je nekakav letnji virus koji izaziva stomačne tegobe. Ne odbaci pak ni mogućnost da je Đani pojeo nešto loše, pokvareno jaje na primer, ili – reče mi kad se nađosmo u dnevnoj sobi, tihim

glasom – da je u pitanju bila reakcija na neki neprijatan do-
gađaj.

Dok se sedeći za radnim stolom spremao da napiše recept,
ispričah mu mirnim glasom – kao da imam običaj da mu se
poveravam na taj način – da nas je Mario ostavio, da smo
prošli kroz užasan dan, da je Oto uginuo. Sasluša me pažlji-
vo i strpljivo, odmahnu glavom s neodobravanjem, i prepisa
mlečne enzime i nežnost za oba deteta, i čaj od kamilice i
odmor za mene. Obeća da će ponovo doći za par dana.

### 35.

Spavala sam dugo, dubokim snom.

Već narednog jutra počeh da posvećujem mnogo pažnje Ila-
riji i Đaniju. Pošto stekoh utisak da me pomno nadziru, kako
bi videli da li sam ponovo postala njihova majka na kakvu
su bili navikli, ili treba da iščekuju nove iznenadne transfor-
macije, davala sam sve od sebe da ih ohrabrim. Čitala sam
im bajke, igrala sam bučne igre satima, prenaglašavala sam
veselost, kojom sam se trudila da sprečim povratak očaja. Ni
jedno ni drugo, možda po nekom zajedničkom dogovoru, ni
u jednom trenutku ne pomenuše oca, čak ni kako bi ponovili
da treba da ga obavestimo da je Oto uginuo. Zabrinuh se da se
plaše da ga pomenu iz straha da će me na taj način pogurati
da ponovo upadnem u stanje u kome sam bila one noći. Tada
počeh sama da pominjem Marija prepričavajući im stare do-
godovštine u kojima je njihov otac bio zabavan i duhovit, u

kojima je pokazao maštovitost i visprenost ili je izvodio hrabre podvige. Ne znam kakav su utisak na njih ostavljale te priče, pomno su ih slušali, ponekad su se zadovoljno osmehivali. U meni su budile samo neprijatnost. Pričajući o njemu postadoh svesna toga da mi Mariovo prisustvo smeta čak i u uspomenama.

Kada je pedijatar ponovo došao, Đanija je zatekao u dobrom stanju, odličnog zdravlja.

„Gospodine Đani", reče mu, „imate odličnu ružičastu boju, jeste li sigurni da se niste preko noći pretvorili u prasence?"

U dnevnoj sobi, nakon što sam se uverila da deca ne mogu da nas čuju, upitah, kako bih sebi razjasnila u kojoj meri treba da osećam krivicu, da li je Đaniju mogao da naškodi insekticid koji zbog mrava bejah naprskala tokom noći. On odbaci tu mogućnost, podseti me da Ilarija nije imala nikakve smetnje.

„A našem psu?", upitah pokazavši mu izgrizenu konzervu spreja sa koje je falio beli raspršivač.

On ispita konzervu, delovao mi je zbunjeno, zaključi da nije u stanju da mi pruži stručno mišljenje o toj stvari. Naposletku se vrati u dečju sobu da se pozdravi s njima, nakloni im se i reče:

„Gospođice Ili, gospodine Đani, opraštam se od vas s velikim nezadovoljstvom. Nadam se da ćete se uskoro razboleti kako bih mogao ponovo da vas vidim."

Deca se osetiše ohrabrena njegovim tonom. Danima smo se međusobno klanjali nazivajući se gospodinom Đanijem, gospođom mamom i gospođicom Ili. Kako bih oko njih učvrstila klimu dobrostanja, pokušah da se vratim starim navikama, poput bolesnika koji, nakon dugog boravka u bolnici i kako bi pobedio strah da će se ponovo razboleti, pokušava da se čvrsto uhvati za život zdravih ljudi. Vratih se kuvanju, trudeći se da ih privolim da jedu, primenjujući nove recepte. Vratih se seckanju, prženju i soljenju. Počeh ponovo da mesim i kolače, ali mi to nije polazilo za rukom, tome nisam bila vična.

## 36.

Nisam uvek bila u stanju da se prikažem ljubazno i efikasno kao što sam želela. Izvesni znaci i dalje su me brinuli. I dalje mi se dešavalo da zaboravim da isključim šporet, da ne osetim ni smrad zagorelog. Javljala mi se dotad nepoznata mučnina dok sam posmatrala kako zeleni komadići peršuna i crvene ljuske od paradajza plivaju po masnoj vodi u zapušenoj sudoperi. Nisam mogla da se odnosim sa starom ravnodušnoću prema lepljivim ostacima hrane koje su deca ostavljala na stolnjacima i po podu. Dešavalo mi se da se rendanje sira pretvori u tako mehanički pokret, tako dalek i nezavisan od mojih misli, da mi je metal kidao nokte i kožu na vrhovima prstiju. Osim toga – iako u prošlosti to nikad nisam činila – počeh često da se zatvaram u kupatilo i da dugo, uporno i opsesivno proučavam sopstveno telo. Opipavala sam svoje grudi, prelazila sam prstima po stomaku, posmatrala sam međunožje u jednom ogledalu kako bih videla koliko je propalo, proveravala sam da li mi se javlja podbradak, da li mi se iznad gornje usne pojavljuju bore. Plašila sam se da je napor uložen da se ne izgubim one noći učinio da dodatno ostarim. Činilo mi se da mi se kosa proredila, da mi se javljaju nove sede, nameravala sam da ofarbam kosu, koja mi je uostalom uvek delovala masno iako sam je opsesivno prala i brižljivo je sušila fenom.

Ono što me je, međutim, najviše plašilo bile su kratkotrajne slike i zvuci koji su mi se javljali u glavi. Bilo je dovoljno da mi se načas javi kakva nejasna, zamršena misao ili kakav trzaj pa da osetim kako me hvata nemir, kako mi se stomak steže od panike. Plašila sam se da ću u mračnim uglovima stana opet ugledati previše jasne senke, plašila sam se zvukova koje su pravile i njihovih naglih pokreta. Hvatala sam sebe kako mehanički palim i gasim televizor kako bi mi pravio društvo ili kako pevušim neku uspavanku na dijalektu mog detinjstva. Osećala sam nepodnošljivu tugu posmatrajući Otovu praznu činiju, koja je i dalje stajala pored frižidera. Prepuštala sam se neobjašnjivim napadima pospanosti, pružala sam se po kauču milujući sama svoje ruke, grebući ih noktima.

S druge strane, u toj fazi mi je mnogo pomoglo otkriće da su mi se povratili lepi maniri. Vulgarnosti kojima sam se služila tokom proteklih meseci nestadoše, nisam više osećala ni najmanju potrebu da posežem za njima, zastideh se što sam to ikada činila. Vratih se književnom jeziku obrazovanih ljudi, pomalo konfuznom, koji mi je pak pružao sigurnost i nepristrasnost. Ponovo ovladah tonom svog glasa, bes se beše stišao, prestade da odjekuje u mojim rečima. Kao posledica toga, odnosi sa spoljnim svetom mi se poboljšaše. Ljubaznom upornošću postigoh da mi poprave fiksnu liniju, otkrih da se i stari mobilni telefon može popraviti. Jedan mladi prodavac, kog zatekoh u jednoj nekim čudom i dalje otvorenoj radnji, pokaza mi kako je lako spojiti razdvojene delove, da sam to mogla i sama da uradim.

Kako bih se izvukla iz izolacije počeh nanovo da telefoniram prijateljima i poznanicima. Želela sam da ulovim one koji su imali decu Đanijevih i Ilarijinih godina i da s njima dogovorim nekakav odmor, makar i na jedan dan, kako bih se iskupila za protekle mračne mesece. Sa svakim telefonskim razgovorom postajalo mi je sve jasnije da želim da osmesima, lepim rečima i ljubaznim gestovima smekšam očvrslu kožu. Učvrstih odnos s Leom Farako, pokušah da se ponašam što sam prirodnije mogla kada mi je jednog dana došla u posetu, sa oprezom koji mi je ukazivao na to da ima neko važno saopštenje za mene. Okolišala je po običaju, ja je nisam požurivala, ne pokazah znake nervoze. Nakon što se uverila da se neću razbesneti, posavetova me da budem razumna, reče mi da se odnosi prekidaju, ali da ništa ne može lišiti oca njegove dece niti decu njihovog oca, dodade druge slične izjave. Naposletku zaključi:

„Treba da odrediš dane kojima Mario može da viđa decu.“

„Je l' te on poslao da mi to kažeš?“, upitah je staloženo.

S nelagodom priznade da jeste.

„Prenesi mu da je, kad poželi da ih vidi, dovoljno da se najavi telefonom.“

Znala sam da je potrebno da nametnem odgovarajući ton za budući odnos s Marijom, ako ništa drugo zbog Đanija i Ilarije, ali nisam imala volje, osećala sam da bi mi bilo draže da ga više nikad ne vidim. Te večeri, nakon što je Lea otišla, pre nego što zaspah, osetih kako se iz ormara i dalje širi Mariov miris, izbijao je i iz fioka na njegovom noćnom stočiću, iz cipelarnika, iz samih zidova. Tokom prethodnih meseci taj miris je u meni budio nostalgiju, čežnju, bes. Sada sam ga, međutim, vezivala za Otovu agoniju, nije me više uzbuđivao. Otkrih da me sada podseća na miris nekog matorog muškarca koji je jednom prilikom u autobusu pohotno protrljao svoje umiruće meso o moje telo. Ta misao mi zasmeta, deprimirala me je. Čekala sam da muškarac koji je nekada bio moj muž odgovori na poruku koju mu bejah poslala, ali bez napetosti, rezignirano.

**37.**

Moja opsesija dugo je ostao Oto. Užasno se razbesneh kad jednog poslepodneva uhvatih Đanija kako na povocu voda Ilariju i, dok je ona lajala, viče na nju vukući povodac: mirna, uz nogu, ima da te šutnem ako ne prestaneš. Zaplenih ogrlicu, povodac i brnjicu i zatvorih se uznemirena u kupatilo. Tamo, međutim, iznenadivši i samu sebe pokretom, kao da mi je namera bila da isprobam kakav pank ukras, pokušah da ogrlicu zakačim sebi oko vrata. Kad postadoh svesna toga šta radim, briznuh u plač i pojurih da sve bacim u kantu.

Jednog septembarskog jutra, dok su se deca igrala u parkiću svađajući se povremeno s drugom decom, na tren mi se učini da je pored mene projurio naš pas, baš on. Sedela sam na jednoj klupici u senci nekog hrasta, na par metara od fontanice pod čijim su neprekidnim mlazom, dok je voda odskakala s njihovog perja, žeđ gasili golubovi. Mučila sam se da stavim na papir neke svoje misli, izgubljena u njima, nisam sasvim jasno znala gde se nalazim, žubor fontane, mlaz vode koja pada na kamen i na vodene biljke do mene su dopirali kao izdaleka. U izvesnom trenutku, krajičkom oka videh izduženu sen vučjaka kako juri travnjakom. Na par trenutaka, bila sam sasvim uverena da se to Oto vratio iz carstva mrtvih, i osetih kako mi se nešto steže u stomaku, obuze me strah. Ubrzo pak primetih da taj pas, ta nepoznata životinja, nema nikakve sličnosti s našim nesrećnim psom, jedina dodirna tačka bila im je što je ovaj pas sad jurio da se napoji kao što je to Oto uvek činio nakon trčanja. Priđe zaista fontanici poteravši golubove u beg, zalaja na osice koje su zujale u blizini česme i halapljivo ispruži dug ružičast jezik ka mlazu vode. Ja zatvorih svesku i nastavih da ga posmatram, osetih ganutost. Bio je to nabijen vučjak, deblji od Ota. Pomislih kako je Oto izgledao dobroćudnije od njega ali se u svakom slučaju raznežih. Na vlasnikov zvižduk pojuri nazad bez odlaganja. Golubovi se vratiše da se igraju pod mlazom vode.

Tog poslepodneva potražih broj veterinara, izvesnog Morelija, kod koga je Mario vodio Ota kad je za tim bilo potrebe. Nikada mi se ne beše pružila prilika da ga upoznam, ali mi je muž o njemu uvek govorio sa oduševljenjem, bio je u pitanju brat nekog njegovog kolege s fakulteta s kojim je bio u dobrim poslovnim i prijateljskim odnosima. Pozvah ga telefonom, bio je veoma ljubazan. Imao je dubok glas poput glumaca u starim filmovima. Pozva me da navratim u ambulantu narednog dana. Ostavih decu s jednom poznanicom i pođoh k njemu.

Veterinar je upravljao jednom malom klinikom za kućne ljubimce, na ulazu je visio plavi neonski natpis koji je svetleo i danju i noću. Spustih se niz dug niz stepenica i nađoh se u malom dobro osvetljenom hodniku kojim se širio jak miris. Dočeka me neka devojka smeđe kose koja mi reče da se smestim u čekaonici, da je doktor na operaciji.

U čekaonici je bilo mnogo ljudi, ko s psima ko s mačkama, bila je tu i jedna tridesetogodišnja žena koja je u krilu držala crnog zeca kojeg je mazila mehaničkim pokretima ruke. Zagledah se u oglasnu tablu s predlozima za sparivanje životinja plemenitog porekla i oglasima o izgubljenim psima i mačkama, čisto da mi brže prođe vreme. Povremeno su se pojavljivali ljudi koji su se raspitivali za novosti o voljenim ljubimcima: o mački ostavljenoj na posmatranju, o psu koji je bio na hemoterapiji, jedna žena je patila zbog pudlice u agoniji. Na tom mestu bol je prelazio ljudski prag i širio se na svet kućnih ljubimaca. Osetih vrtoglavicu i kako me obliva hladan znoj kad u ustajalom vazduhu prepoznadoh miris Otove patnje i vrhunac neprijatnosti koji je sada u meni budio. Ubrzo osetih kako osećaj odgovornosti u meni dodatno narasta, učini mi se da sam bila okrutno nemarna, postajala sam sve nervoznija. Ni televizor koji je u jednom uglu prenosio najnovija ljudska zverstva ne umanji mi osećaj krivice.

Prođe više od sat vremena pre nego što stigoh na red. Ne znam zašto, veterinara sam zamišljala kao debelog goropadnog muškarca u krvavoj kecelji, dlakavih ruku, širokog ciničnog lica. Dočeka me, međutim, visok muškarac u četrdesetim godinama, mršav, prijatnog lica, plavih očiju i plave kose koja mu je padala preko velikog čela, odavao je utisak pedantnog čoveka, čistog po izgledu i po mislima, kao što nekad izgledaju doktori u belim mantilima. Stekoh utisak da se radi o gospodinu koji nastavlja da neguje svoju melanholičnu dušu dok se stari poredak stvari urušava oko njega.

Pažljivo je saslušao moj opis agonije kroz koju je Oto prošao i njegove smrti. Prekidao me je samo kako bi mi sugerisao stručne termine koji su u njegovim ušima moje duge slikovite opise činili verodostojnijim. Prenaglašeno lučenje pljuvačke. Otežano disanje. Mišićne kontrakcije. Nesposobnost zadržavanja fekalija i urina u telu. Grčenje i epileptični napadi. Naposletku zaključi da je Ota skoro sasvim sigurno ubio strihnin.

Ne isključi sasvim ni mogućnost da je smrt nastupila od insekticida na kojoj sam ja neumorno insistirala, ali pokaza se skeptičnim. Pomenu mračne termine: diazinon, karbaril, a zatim odmahnu glavom, naposletku reče:

„Ne, rekao bih da je u pitanju bio baš strihnin."

I s njim, kao i s pedijatrom, osetih potrebu da ispričam okolnosti u kojima se sve odigralo, da pronađem prave reči da opišem taj dan, to me je hrabrilo. Sasluša me ne pokazujući nestrpljenje, gledao me je pravo u oči s mnogo pažnje. Naposletku mi reče umirujućim glasom:

„Niste vi krivi ni za šta, osim za to što ste previše osećajni."

„I preterana osećajnost može se smatrati krivicom", odvratih.

„Prava krivica leži u Mariovoj bezosećajnosti", odgovori on i dade mi znak pogledom da razume moje razloge i da smatra

besmislenim razloge mog muža. Pomenu i pokoji trač o opor-
tunističkim potezima koje je pravio moj muž kako bi postigao
ne znam ni ja kakav posao, beše to čuo od brata. Ja se začudih,
Marija nisam videla u tom svetlu. Veterinar se osmehnu po-
kazavši mi pravilne bele zube, dodade:

„Ali osim toga, on je čovek s brojnim kvalitetima."

Ta poslednja rečenica, taj elegantni skok s blaćenja na
kompliment učini mi se tako efikasnim, da pomislih kako u
toj veštini leži prirodnost ljudskih odnosa. Moram to da nau-
čim, pomislih.

## 38.

Kada se te večeri s decom vratih u stan, prvi put nakon
Mariovog napuštanja osetih toplinu svog doma, utehu kojom
odiše, igrala sam se s decom sve dok ih ne ubedih da odu da
se okupaju i da pođu na spavanje. Već bejah skinula šminku
kako bih i sama pošla u krevet kad začuh kucanje na vratima.
Pogledah kroz špijunku, bio je to Karano.

Nakon što se postarao za Otovo telo sreli smo se samo u
par navrata, u tim prilikama deca su uvek bila sa mnom, raz-
menismo samo učtive pozdrave. I dalje je delovao ponizno,
hodao je pogurenih leđa kao da se stidi svoje visine. Isprva
pomislih da mu ne otvorim vrata, uplаših se da će me ponovo
povući u nemir i nezadovoljstvo. Potom pak primetih da je
sedu sveže opranu kosu začešljao drugačije nego inače, bez
razdeljka, i pomislih da mora da je uložio mnogo truda u svoj

fizički izgled pre nego što se odlučio da se popne na moj sprat i da mi pokuca na vrata. Cenila sam i to što je bio dovoljno obziran da, kako ne bi probudio decu, pokuca na vrata rukom umesto da pritisne zvonce. Okrenuh ključ u bravi.

Nesigurnim pokretom smesta mi pokaza bocu rashlađenog belog pinoa koju je držao iza leđa, reče s nelagodom da je u pitanju isti onaj pino iz Butrija, iz 1998. godine, koji sam mu ja donela kad sam došla kod njega. Rekoh mu da sam tom prilikom uzela prvu bocu na koju sam naišla, da se tu nije radilo o nekom mom ličnom izboru. Da mrzim bela vina, od njih dobijam glavobolju.

Ramena mu klonuše, ostade bez reči, na ulaznim vratima s bocom koja mu se kondenzovala u rukama. Uzeh je uz slabašno hvala, pozvah ga da sedne u dnevnu sobu i krenuh ka kuhinji po otvarač. Po povratku ga zatekoh na kauču, premetao je u rukama izgrizenu konzervu insekticida.

„Vučjak ju je baš dobro izgrizao", prokomentarisa, „zašto je ne baciš?"

Bile su to bezazlene reči, samo se trudio da ispuni tišinu, pa ipak to njegovo pominjanje Ota mi zasmeta. Nasuh mu čašu vina i rekoh:

„Popij pa idi, kasno je, umorna sam."

On samo smušeno klimnu glavom, ali mora da je pomislio da nisam ozbiljna, iščekivao je da malo-pomalo postanem gostoljubivija, ljubaznija.

Ispustih dug, nezadovoljan uzdah, rekoh mu:

„Danas sam se konsultovala s jednim veterinarom, rekao je da je Oto otrovan strihninom."

Odmahnu glavom, sa iskrenim žaljenjem na licu.

„Ljudi umeju da budu veoma okrutni", promrmlja, a ja na tren pomislih da bez ikakvog smisla govori o veterinaru, potom mi postade jasno da misli na posetioce parka. Zagledah se u njega.

„A ti? Pretio si mom mužu, rekao si mu da ćeš otrovati psa, deca su mi to prenela."

Na licu mu pročitah čuđenje i nezadovoljstvo. Zamahnu rukom kroz vazduh kao da želi da otera moje reči od sebe. Promrmlja tužnim glasom:

„Ja sam pokušao da kažem nešto drugo, pogrešno su me razumeli. Pretnju da će otrovati vučjaka čuo sam od nekog drugog, i tebe sam upozorio..."

Naglo se ispravi, reče oštrije:

„Uostalom, znaš vrlo dobro da tvoj muž veruje da mu čitav svet pripada."

Učini mi se uzaludnim da mu kažem da to ne znam. O svom mužu imala sam drugačije mišljenje, uostalom i to mišljenje sam izbacila iz sebe, sa sobom je odneo i smisao koji je dugo pružao mom životu. Sve se odigralo tako brzo, kao kad se u nekom filmu u avionu na velikoj visini stvori pukotina. Nisam imala vremena da zadržim ni neki slabašan osećaj privrženosti.

„Ima svoje mane", promrmljah, „kao što ih uostalom imaju svi. Ponekad smo dobri, ponekad dostojni prezira. Nisam li i sama, kad sam došla kod tebe, počinila sramna dela koja nisam ni sanjala da bih mogla učiniti? Nije tu bilo ljubavi, čak ni iskrene želje, bilo je to čisto zverstvo. Pa ipak, ne smatram sebe naročito lošom ženom."

Karana su moje reči očigledno teško pogodile, upita me uznemireno:

„Zar ti do mene nimalo nije bilo stalo?"

„Nije."

„I ni sad ti nimalo nije stalo?"

Odmahnuh glavom, pokušah da mu uputim osmeh koji bi ga naveo da čitav događaj shvati kao jednu od brojnih životnih nezgoda, kao gubitak na kartama.

Spusti čašu na sto, ustade.

„Za mene je ta noć bila veoma važna", reče, „a danas mi je još važnija nego što je bila tada."

„Žao mi je."

Uputi mi poluosmeh, odmahnu glavom da pokaže da zna da mi nimalo nije žao, da su te reči samo način da skratim priču. Promrmlja:

„Ista si kao tvoj muž, uostalom, kako i ne bi bila, toliko ste vremena proveli zajedno."

Pođe ka vratima, ja krenuh tromo za njim. Na vratima mi pruži bocu od insekticida koju zamalo da odnese sa sobom, uzeh je. Pomislih da će zalupiti vratima na izlazu, ali ih on pažljivo zatvori za sobom.

## 39.

Osetih se ogorčeno zbog tog susreta. Loše sam spavala, odlučih da svedem na minimum kontakt s komšijom, one njegove reči uspele su da me povrede. Kada smo se sretali na stepeništu jedva da sam odgovarala na njegove pozdrave, prolazila sam pored njega kruto. Osećala sam na sebi njegove uvređene depresivne poglede, i razmišljala koliko dugo ću morati da se klonim tih tužnih očiju i nemih molbi. Uostalom, osećala sam da sam ih zaslužila, s njim sam se ponela nepromišljeno.

Međutim, stvari ubrzo krenuše novim tokom. Iz dana u dan Karano je oprezno izbegavao svaki susret. Svoje prisustvo umesto susretima poče da mi nagoveštava sitnim znacima posvećenosti sa daljine. Čas sam pred vratima zaticala kesu iz samoposluge koju u žurbi bejah zaboravila u atrijumu, čas novine ili olovku koje bejah ostavila na klupici u parku. Na njima mu se nisam ni zahvaljivala. Nastavih, međutim, da premećem u mislima delove rečenica koje je izgovorio prilikom našeg susreta, i razmišljajući o njima dođoh do zaključka da je ono što me je najviše pogodilo bila optužba da sam slična Mariju. Nisam uspevala da se otresem utiska da mi je predočio neprijatnu istinu, neprijatniju nego što je on mogao da zamisli. Dugo sam razmišljala o toj mogućnosti, naročito zato što sam s početkom nove školske godine, bez dečjeg prisustva u stanu, sada imala više slobodnog vremena za razmišljanje.

Topla jutra početkom jeseni provodila sam na klupici u parkiću, pišući. Prividno sam beležila ideje za svoju eventualnu knjigu, tako sam je nazivala. Želim da skinem sa sebe odeću – pisala sam – da proučim sebe precizno i strogo, da ispričam kroz šta sam prošla tokom onih meseci, do najsitnijeg detalja. Zapravo sam se vrtela oko pitanja koja mi beše nagovestio Karano. Jesam li ista kao Mario? I šta to uostalom znači? Da smo jedno drugo izabrali zbog sličnosti, i da su se te naše sličnosti s godinama dodatno učvrstile i razgranale? U čemu sam se to osetila sličnom njemu kad sam se u njega zaljubila? Šta sam to njegovo prepoznala u sebi na početku našeg odnosa? Kakve misli, pokrete, ton glasa, ukuse i seksualne navike sam od njega usvojila tokom godina?

U tom periodu ispunih brojne stranice pitanjima tog tipa. Sada, kad me je Mario ostavio, kad me više ne voli a ne volim ni ja njega, zašto da u sebi čuvam nešto što je njegovo? Mora da je Karla tokom njihove duge tajne veze s njega izbrisala sve moje tragove. Šta je, međutim, sa mnom, ako mi se nekada sve ono što bejah usvojila od njega činilo prijatnim, kako da ga izbrišem sada kada više to nije? Kako da sastružem njegove tragove sa svog tela, iz svog uma, a da pritom ne otkrijem da pokušavam da sastružem samu sebe?

Samo sam u toj stvari sa stidom preispitivala Karanove reči dok je jutarnje sunce obasjavalo travu između senki drveća. Da li je Mario zaista bio agresivan čovek ubeđen da ima pravo da gazduje nad svim i svakim, sposoban i na oportunističko ponašanje kao što mi beše pomenuo veterinar? I da li to što ja te njegove osobine nikada nisam primetila znači da ih smatram prirodnim, zato što ih i sama posedujem?

Provedoh nekoliko večeri u razgledanju starih porodičnih fotografija. Tražila sam znake samostalnosti na svom telu, onakvom kakvo je bilo pre nego što sam upoznala svog budućeg muža. Poredila sam svoje devojačke slike sa slikama iz kasnijih godina. Želela sam da shvatim koliko mi se pogled izmenio nakon što sam počela da se viđam s njim, da li je s godinama počeo da liči na njegov. Seme njegovog tela ušlo je u moje telo, izobličilo me je, učinilo je da mi se telo raširi i raskrupnja, ostala sam u drugom stanju dva puta. Obrazac je bio sledeći: nosila sam u stomaku njegovu decu, podarila sam mu decu. Sve i da sam pokušala sebe da ubedim da mu ništa nisam dala, da su deca pre svega moja, da će zauvek ostati pod upravom mog tela, pod mojim starateljstvom, nisam mogla da zanemarim činjenicu da deo njegove prirode neizbežno živi u njima. Hoće li Mario izbiti iz njih iznenada, hoće li s prolaskom vremena deca sve više ličiti na njega? Da li ću zauvek biti primorana da volim njegove osobine samo zato što volim svoju decu? Kakva komplikovana zbrka nastaje spajanjem dvoje ljudi. I kada se odnos pokvari i zatim prekine, to njihovo spajanje nastavlja da traje i da dela na misteriozan način, ne želi da umre.

Čitave jedne duge večeri sekla sam makazama oči, uši, noge, noseve i ruke, moje, dečje i Mariove. Zatim stadoh da ih lepim na jedan papir za crtanje. Od njih stvorih jedno jedinstveno telo monstruozne futurističke neodgonetljivosti, koje zatim požurih da bacim u smeće.

## 40.

Kada me je Lea Farako ponovo posetila, nekoliko dana nakon svoje prve posete, postade mi smesta jasno da Mario nema nikakvu nameru da se sa mnom suoči direktno, čak ni preko telefona. Nemoj da ubiješ glasnika, reče mi moja prijateljica; nakon onog okršaja na ulici moj muž je smatrao da je bolje da se što ređe srećemo. Pa ipak, decu je želeo da vidi, nedostajali su mu, pitao je može li da ih uzme za vikend. Rekoh Lei da ću se posavetovati s decom i da ću pustiti da oni odluče žele li da vide oca. Ona odmahnu glavom, stade mi prebacivati:

„Nemoj da si takva, Olga. Kako hoćeš da deca donesu jednu takvu odluku?"

Ne obratih pažnju na njene reči, odlučih da do rešenja dođem kao da smo moja deca i ja kakav trio sposoban da o tom pitanju diskutuje, da se suoči, da donese jednoglasnu ili većinsku odluku. Obratih se Đaniju i Ilariji čim se vratiše iz škole, rekoh im da njihov otac želi da s njim provedu vikend, objasnih im da oni treba da odluče žele li to ili ne, obavestih ih da će tamo verovatno sresti novu ženu (upotrebih baš tu reč – ženu) svoga oca.

Ilarija me upita smesta, bez okolišanja:

„Je l' ti hoćeš da odemo?"

Đani se umeša:

„Kako si tako glupa, rekla je da mi treba da odlučimo."

Bili su vidno zabrinuti, upitaše me mogu li da se posavetuju. Zatvoriše se zatim u svoju sobu, dugo su se tamo svađali. Kada izađoše, Ilarija me upita:

„Hoćeš ti da se ljutiš ako odemo?"

Đani je munu laktom, reče:

„Odlučili smo da ostanemo s tobom."

Zastideh se tog dokazivanja njihove ljubavi na koji ih bejah primorala. Tog petka ih naterah da se pažljivo okupaju, obukoh ih u najbolju odeću koju su imali, spremih dva ranca s njihovim stvarima i povedoh ih Lei.

Putem nastaviše da tvrde da ne žele da se razdvajaju od mene, upitaše me hiljadu puta kako ću provesti subotu i nedelju, i naposletku uđoše u Lein automobil i nestadoše ponevši sa sobom svoje uzbuđenje i očekivanja.

Prošetah se, pogledah neki film u bioskopu, vratih se kući, večerah stojećke, ne postavivši sto, sedoh da gledam televiziju. Lea me pozva kasno uveče da mi kaže da je susret oca s decom bio dirljiv, otkri mi sa izvesnom dozom nelagode Mariovu novu adresu, živeo je s Karlom u kvartu Kročeta, u jednoj lepoj kući u vlasništvu devojčine porodice. Na kraju me pozva da narednog dana dođem kod nje na večeru i, mada mi se to nije radilo, prihvatih: nije lako provoditi dane u samoći, kada ti se veče stegne oko vrata poput omče.

Pođoh u posetu Farakovima, pojavih se prerano. Potrudiše se da me zabave, a ja se zauzvrat potrudih da budem ljubazna. U izvesnom trenutku bacih pogled na postavljen sto, mehanički prebrojah tanjire i stolice. Bilo ih je šest. Sledih se: dva para, ja, i zatim još jedna, šesta osoba. Postade mi jasno da je Lea odlučila da se postara za mene, odlučila je da mi pruži priliku za susret s nekim muškarcem s kojim bih započela kakvu avanturu, privremenu ili možda, ko zna, trajnu vezu. Moje sumnje se pokazaše opravdanima kad stigoše supružnici Toreri, koje već bejah upoznala nekom prilikom u ulozi Mariove supruge, i veterinar, doktor Moreli, kome se bejah obratila kako bih saznala više o Otovoj smrti. Moreli, blizak prijatelj Leinog muža, prijatan čovek dobro upoznat sa svim fakultetskim tračevima, očigledno je bio pozvan da mene zabavi.

Potištih se. Eto šta me očekuje, pomislih. Ovakve večeri. Da se pojavljujem u tuđim kućama, obeležena ulogom žene koja pokušava da započne novi život. Prepuštena na milost i nemilost ženama u nesrećnim brakovima koje se trude da me upoznaju s muškarcima koje smatraju zanimljivima. Primorana da se upustim u tu igru, nesposobna da priznam da meni ti muškarci i njihov jasan cilj – poznat svim prisutnima – da ostvare kontakt sa mnom, ledenom i nepristupačnom, da se zagreju za mene kako bih se i ja zagrejala za njih, i kako bi posle mogli da me pritisnu svojom ulogom zavodnika, ti muškarci usamljeni poput mene, poput mene uplašeni svim što im je strano, umorni od neuspeha i uzalud protraćenog vremena, rastavljeni od žena, razvedeni, udovci, napušteni ili prevareni, izazivaju samo nelagodu.

Čitavo veče provedoh u ćutanju, pustih da se oko mene stvori nevidljiv ali čvrst zid, ni na jednu veterinarevu rečenicu koja je pozivala na osmeh ili smeh ne osmehnuh se niti se nasmejah, u par navrata povukoh svoje koleno pred dodirom s njegovim, skamenih se kada mi dodirnu ruku i pokuša nešto da mi šapne na uvo s bezrazložnom prisnošću.

Nikad više, sve vreme sam razmišljala, nikad više. Nikad više neću sebi dopustiti da se nađem u kući poznanika podvodača koji dobroćudno priređuju susrete, a zatim te pomno posmatraju kako bi videli jesu li stvari krenule u dobrom smeru, da li on radi sve što treba da radi, da li ti reaguješ onako kako treba da reaguješ. Predstava za one koji su već u parovima, tema za razgovor kad se kuća isprazni a na stolu ostanu samo ostaci. Zahvalih se Lei i njenom mužu i napustih ih rano, iznenada, kad su se spremali da sa gostima pređu u dnevnu sobu da tamo piju i veselo ćaskaju.

## 41.

U nedelju uveče Lea doprati decu kući, a ja osetih veliko olakšanje. Bili su umorni ali videlo se da su zadovoljni.

„Šta ste radili?", upitah.

Đani odgovori:

„Ništa."

Potom, međutim, izađe na videlo da su bili u luna-parku, da su išli u Varigoti da vide more, da su i ručali i večerali u restoranima. Ilarija raširi ruke, reče mi:

„Pojela sam ovoliki sladoled."

„Jeste li se lepo proveli?", upitah.

„Nismo", odgovori Đani.

„Jesmo", odgovori Ilarija.

„Je l' Karla bila s vama?", upitah.

„Jeste", odgovori Ilarija.

„Nije", odgovori Đani.

Pre nego što je zaspala, kćerka me upita pomalo zabrinuto:

„Hoćeš li nas pustiti da odemo ponovo, i sledećeg vikenda?"

Đani se pridiže sa svog kreveta, pogleda me sa strepnjom. Odgovorih da hoću.

Te noći, dok sam pokušavala da pišem, u stanu kojim je vladala tišina, počeh da razmišljam o tome kako će se, iz sedmice u sedmicu, u mojoj deci učvrstiti očevo prisustvo. Nas dvoje više nismo par ali ćemo za decu, neosnovano i bezrazložno, to zauvek ostati. Malo-pomalo napraviće mesta i za Karlu, razmišljala sam, pisala sam. Ilarija će je krišom pomno posmatrati kako bi usvojila njen način šminkanja, način hoda, smejanja, njen izbor boja i malo-pomalo polako će ih stopiti s mojim odlikama, mojim ukusom, s mojim opreznim ili rasejanim pokretima. Đani će početi da mašta o njoj, sanjaće je. U moju decu uvući će se i Karlini roditelji, njeni preci pomešaće se sa mojima, i precima moga muža. Postaće poput meleza. Razmišljajući o tom mešanju osetih besmislenost zamenice „moj", sintagme „moja deca". Prestadoh da pišem tek kad osetih da me je nešto okrznulo, kad mi se učini da sam čula zvuk Otovog oblizivanja metalne činije. Pridigoh se, pođoh da proverim da je prazna i suva. Verni vučjak kao da je bdio nada mnom. Uvukoh se u krevet i zaspah.

Narednog dana počeh da tražim posao. Nisam umela da radim bogzna šta, ali sam zahvaljujući Mariovom poslu provela mnogo vremena u inostranstvu, tečno sam govorila barem tri jezika. Uz pomoć izvesnih prijatelja Leinog muža ubrzo se zaposlih u jednoj renta-kar agenciji kako bih se starala o međunarodnoj prepisci.

Postadoh zauzetija nego inače, dani postadoše naporniji: posao, obavljanje kupovine, kuvanje, raspremanje, deca, želja da ponovo počnem da pišem, liste obaveza koje sam pravila svake večeri: kupi nove šerpe, pozovi vodoinstalatera pošto sudopera curi, popravi roletne u dnevnoj sobi, kupi Đaniju novu trenerku za fizičko, kupi Ilariji nove cipele, stopala su joj porasla.

Dane od ponedeljka do petka provodila sam u jurnjavi ali bez briga koje su me morile prethodnih meseci. Kao da sam razvlačila kakvu žicu na kojoj su dani bili predstavljeni u vidu čvorova, klizila sam od čvora do čvora glatko, bez razmišljanja, postajala sam sve bolja i bolja u stvaranju privida ravnoteže, sve dok petkom poslepodne ne bih predala decu Lei koja ih je zatim predavala Mariju. Tada se preda mnom otvarala praznina, osećala sam se kao da lebdim iznad kakvog ambisa, da nesigurno održavam ravnotežu mlatarajući rukama oko sebe.

Što se tiče povratka dece kući, nedeljom uveče, on za mene ubrzo postade nepresušan izvor ogorčenosti. Oboje se vrlo brzo navikoše na to kretanje između mog i Mariovog doma, sasvim prestadoše da vode računa da li bi me nešto moglo povrediti. Đani poče da hvali Karlino kuvanje, moje je sad prezirao. Ilarija mi ispriča da se, kad je kod oca, kupa zajedno s njegovom novom ženom, otkri mi da ima lepše grudi od mojih, silno se čudila tome što Karla na pubisu ima plave dlačice, opisivala mi je njen donji veš do najsitnijih detalja, natera me da joj obećam da ću joj, čim joj se pojave grudi, kupiti grudnjake baš kao Karline, istih boja, istog kvaliteta. Oboje počeše da se koriste poštapalicama koje od mene sigurno ne behu čuli, neprestano su govorili: praktično. Ilarija se ljutila što ne želim da kupim nekakav luksuzan neseser za šminku, kakvim se Karla razmetala. Jednom prilikom, tokom neke od naših svađa, ovoga puta oko kaputića koji joj bejah kupila i koji joj se nije sviđao, povika mi: „Zla si, Karla je bolja od tebe!"

Nisam više znala osećam li se bolje kada su sa mnom ili kada nisu. Primetih da, na primer, iako više ne vode računa o bolu koji mi nanose pričajući mi o Karli, postaju ozlojeđeni ukoliko nekom drugom posvetim i trunku pažnje. Jednog dana kad nisu imali školu povedoh ih sa sobom na posao. Bili su neočekivano dobri. Kada nas je jedan moj kolega pozvao na ručak, za stolom su bili mirni, sedeli su u tišini, nisu se svađali, nisu razmenjivali aluzivne osmehe niti šifrovane poruke. Kasnije mi postade jasno da su sve vreme posmatrali kako se taj čovek ophodi prema meni, posvećuje li mi pažnju, kakvim mu tonom odgovaram na pitanja, primećujući, kako to samo deca umeju, minimalne znake privlačnosti, bila je to obična igra tokom pauze za ručak, koju je on započinjao.

„Jesi li primetila kako smešno cokće usnama, nakon svake rečenice?", upita me Đani s podlim osmehom.

Odmahnuh glavom, ništa nisam primetila. On onda, kako bi mi pokazao, zacokta usnama, izboči ih, nakon svake dve reči coktao je glasno. Ilariji pođoše suze od smeha, nakon svakog njegovog coktanja vriskala je veselo: još, još! Ubrzo i ja počeh da se smejem, iako sam bila pomalo zbunjena tom njihovom žustrom podsmešljivošću.

Uveče, Đani uđe u moju sobu po uobičajeni poljubac za laku noć, zagrli me iznenada i poljubi me glasno coknuvši i ovlaživši mi obraz, potom ode sa sestrom u svoju sobu da se tamo smeju do mile volje. Od tog trenutka, oboje počeše da kritikuju svaki moj pokret. Istovremeno, počeše sasvim otvoreno da hvale Karlu. Terali su me da rešavam zagonetke koje im je ona postavila prethodnog dana kako bi mi pokazali da ne umem da ih odgonetnem, isticali su kako je udoban Mariov nov dom a kako je naš ružan i loše uređen. Đani je ubrzano postajao nepodnošljiv. Vikao je bez ikakvog povoda, lomio je stvari, tukao se sa školskim drugovima, udarao je Ilariju, ponekad je besneo i na samog sebe, grizao se za ruke i za šake.

Jednog novembarskog jutra vraćao se iz škole sa sestrom, oboje behu kupili velike sladolede. Ne znam tačno kako se sve odigralo. Možda je Đani, nakon što je pojeo svoj kornet, navalio da mu Ilarija dâ njen, bio je nezasit, uvek gladan. Znam samo da ju je gurnuo tako snažno da je devojčica naletela na nekog sedamnaestogodišnjaka i da mu je umrljala majicu sladoledom od čokolade.

Momak se isprva zabrinuo samo za majicu, a potom se razbesneo i počeo da viče na Ilariju. Đani ga je onda zviznuo školskim rancem posred lica, ugrizao ga je za ruku i popustio stisak tek kad ga je momak na to primorao udarajući ga pesnicom i šamarajući ga slobodnom rukom.

Nakon što se vratih s posla, otključah vrata i začuh Karanov glas u svom stanu. Ćaskao je s decom u dnevnoj sobi. Isprva se naljutih, nije mi bilo jasno šta radi u mom stanu, kako se usudio da uđe. Potom videh u kakvom se stanju nalazi Đani – imao je modro oko, razbijenu gornju usnu – i smesta zaboravih na njega, pojurih zabrinuto ka sinu.

Malo-pomalo čuh da je Karano, vraćajući se kući, video moju decu u nevolji, da je izvukao Đanija iz ruku razjarenog momka, da je umirio očajnu Ilariju i da ih je dopratio kući. I ne samo to, uspeo je da im popravi raspoloženje prepričavajući im dogodovštine iz svog detinjstva u kojima je on nekog istukao ili zauzvrat popio batine. Deca na mene ne obratiše pažnju, navaljivali su da nastavi sa svojim pričama.

Zahvalih mu se na toj i svim drugim ljubaznostima. Učini mi se da mu je milo, samo ponovo izgovori nešto pogrešno:

„Možda su previše mali da bi se iz škole vraćali sami."

Odvratih:

„Mali ili ne, nemam drugog izbora."

„Ponekad bih mogao ja da ih dopratim", ponudi se.

Zahvalih mu se još jednom, ovog puta hladnije. Rekoh da umem da se snađem sama, i zatvorih vrata.

## 42.

Đani i Ilarija se ne popraviše ni nakon tog slučaja, štaviše, nastaviše da mi pripisuju sve brojnije umišljene krivice. U međuvremenu, sasvim neočekivano i neobjašnjivo, Karana prestadoše da smatraju neprijateljem – Otovim ubicom kako su ga ranije nazivali – i sada su ga, kad god bismo ga sreli na stepeništu, pozdravljali drugarski kao da se radi o nekom detetu s kojim se igraju u dvorištu. On je na njihove pozdrave odgovarao namigujući im, pomalo patetično, ili otpozdravljajući rukom. Stekoh utisak da se plaši da ne prevrši meru, očigledno nije želeo da me iritira, ali deca su navaljivala, tražili su više, nisu se zadovoljavali.

„Zdravo, Aldo!", dovikivao mu je Đani veselo, nastavljao je da ga doziva sve dok mu Karano, pognute glave, ne bi odgovorio: zdravo Đani.

Ja sam hvatala sina pod mišku, govorila sam mu: „Kakvo je to ponašanje? Treba da budeš kulturniji!"

On me je međutim ignorisao, nastavljao je da mi niže zahteve poput: hoću da probušim uvo, hoću da stavim minđušu, sutra ću da obojim kosu u zeleno.

Vikendima – kad Mario nije mogao da ih uzme, što se često događalo – sati su prolazili usporeno, bili su ispunjeni nervozom, grdnjom, scenama. Onda sam ih vodila u park, gde su odbijali da se skinu s vrteške, dok je jesen, u naletima vetra, s drveća skidala crveno i žuto lišće, raznoseći ga po travnjacima, ostavljajući ga na površini reke Po. Ponekad smo, naročito kad je dan bio kišovit i maglovit, odlazili u centar, jurili su se oko prskalica koje su bacale mlazove vode iz betona, ja sam se bezvoljno šetkala pokušavajući da se ne prepustim slikama i glasovima koji su mi se u trenucima premora i dalje javljali u mislima. U trenucima kada sam se plašila da ću im se prepustiti, trudila sam se da razaberem kakav južnjački naglasak u torinskim glasovima oko sebe, bila je to dečja varka, u meni su se budila sećanja na minule dane i godine, s prave distance. Uglavnom sam se držala po strani, smeštala sam se na stepenik ispod spomenika Emanueleu Filibertu, dok je Đani, uvek naoružan bučnom plastičnom mašinkom koju mu beše poklonio otac, držao sestri zlokobna predavanja o Prvom svetskom ratu, oduševljavajući se brojem poginulih, mračnim licima bronzanih ratnika, puškama koje su držali uz nogu. Ja sam onda skretala pogled, posmatrala sam leje i dimnjake koji su se misteriozno izdizali, činilo mi se da nadziru sivi zamak poput periskopa, osećajući da ništa, ama baš ništa ne može da me uteši, iako sam – razmišljala sam – sada ovde, moja deca su živa i zdrava i igraju se jedno s drugim, a bol kroz koji sam prošla, iako me je obeležio nije uspeo da me slomi. Povremeno sam prelazila prstima preko ožiljka rane koju mi beše nanela Ilarija.

Potom se dogodilo nešto što me je iznenadilo i uznemirilo. Bila sam na poslu kad na telefonskoj sekretarici zatekoh poruku koju mi beše ostavila Lea Farako. Pozivala me je da te večeri pođem s njom na neki koncert, reče da joj je do toga veoma stalo. Osetih joj u glasu uzbuđenje koje ju je obuzimalo kada je govorila o klasičnoj muzici, čiji je bila strastveni ljubitelj. Nije mi se izlazilo, ali primorah sebe da pristanem kao što sam to činila u brojnim drugim prilikama tokom tog perioda. Potom se pak uplаših da je u tajnosti organizovala novi susret s veterinarom, i ponovo mi se javiše sumnje, nisam imala volje da čitavo veče provedem osećajući se nelagodno. Naposletku odlučih da će mi koncert prijati, s veterinarom ili bez njega, muzika uvek ima opuštajući efekat, razvezuje čvorove koje u nama stvaraju osećanja. Obavih brojne telefonske pozive kako bih našla nekoga ko će mi pričuvati Đanija i Ilariju. Nakon što sam u tome uspela, morala sam da ubeđujem decu da prijatelji kod kojih ću ih ostaviti nisu tako užasni kao što oni veruju. Naposletku se izmiriše sa situacijom, iako mi Ilarija iznebuha reče:

„Kad već nikad nisi ovde, možeš lepo da nas pošalješ da živimo s tatom."

Ništa ne odgovorih. Strah da ću ponovo krenuti nekim mračnim putem, da ću se izgubiti gušio je svako iskušenje da počnem da vičem. Nađoh se s Leom, odahnuh sa olakšanjem, bila je sama. Sedosmo u taksi i pođosmo ka jednom pozorištu van grada. Pozorište je bilo poput ljuske oraha, bez uglova, uglačano. Lea je u tim krugovima poznavala svakoga, i nju su svi znali, osetih se prijatno, uživala sam u odrazu njene slave.

Malu salu neko vreme ispunjavali su žamor, diskretno dozivanje, pozdravljanje, oblak parfema i daha. Potom sedosmo, salom zavlada tišina, svetla se prigušiše, izađoše na scenu muzičari i solista.

„Odlični su", prošapta mi Lea na uvo.

Ja ne rekoh ništa. Zapanjih se kad među muzičarima prepoznadoh Karana. Pod svetlošću reflektora izgledao je drugačije, još viši. Bio je vitak, elegantan, svaki njegov pokret izazivao je varnice, kosa mu se sijala kao da je od kakvog dragocenog metala.

Kada poče da svira violončelo s njega nestadoše i poslednji tragovi čoveka koji je živeo u mojoj zgradi. Pretvori se u veličanstvenu halucinaciju, u telo satkano od tako zavodljivih nepravilnosti da se činilo da zvuci dolaze iz samog njegovog tela, kao da se stopio sa instrumentom, činilo se da mu violončelo izlazi iz stomaka, iz ruku i nogu, šaka, iz zanosa u njegovim očima, iz usta.

Zanesena muzikom, smireno počeh da se prisećam Karanovog stana, flaše vina na stolu, čas punih čas praznih čaša, noćne tame, nagog muškog tela, njegovog jezika, seksa. Tražila sam po tim prizorima iz sećanja, u čoveku u bademantilu, čoveku s kojim sam bila te večeri, ovog drugog muškarca koji je preda mnom svirao violončelo, i ne nađoh ga. Kakva besmislica, pomislih. Stigla sam do vrhunca intimnosti sa ovim sposobnim i zavodljivim gospodinom, ali ga nisam videla. Sada kada ga vidim, čini mi se da mu ta intimnost ne pripada, možda ga je neko drugi zamenio, možda je u pitanju bilo sećanje na kakvu noćnu moru iz mladosti, možda je to bilo budno fantaziranje jedne slomljene žene. Gde sam? U kakav sam to svet potonula, iz kakvog sam to sveta isplivala? U kakav sam se život vratila? I s kakvim ciljem?

„Šta ti je?“, upita me Lea možda zabrinuta mojom uznemirenošću.

Promrmljah:

„Violončelista je moj komšija.“

„Kakav je, poznaješ li ga dobro?“

„Ne, uopšte ga ne poznajem.“

Nakon koncerta usledio je dug aplauz, narod je aplaudirao i aplaudirao. Muzičari siđoše sa scene, vratiše se, Karanov naklon bio je dubok i graciozan poput plamena koji se povija pod naletom vetra, kosa od metala letela je ka zemlji, a zatim bi on ispravio leđa i energičnim pokretom je vraćao na svoje mesto. Izvedoše još jedan komad, lepa pevačica ganula nas je svojim glasom zaljubljene žene, ponovo se zaori aplauz. Publika nije želela da se oprosti od muzičara, činilo se kao da lebde nošeni aplauzom. Osećala sam se opijeno, kao da mi se koža previše snažno steže oko mišića i kostiju. Ovo je bio Karanov pravi život. Ili onaj lažni, koji mi se sad pak činio istinitijim od pravog.

Pokušah da ublažim ushićenje i nemir ali nisam bila u sta-
nju, činilo mi se da se sala iskrivila, da je scena potonula a
da je ja posmatram kroz neku pukotinu, s visine. Neki od
posmatrača, kome se očigledno išlo kući na spavanje, zalaja,
mnogi se nasmejaše i aplauz malo-pomalo utihnu, podijum
se isprazni, spusti se jarkozelena zavesa, a meni sa učini da
iza nje nazirem Otovu sen kako veselo juri po sceni poput
zelene vene ispod kože, ali se ne uplaših. Budućnost će – po-
mislih – biti ovakva, život koji se meša s vlažnim mirisom ze-
mlje mrtvih, pažnja i nepažnja, snažno lupanje srca i gublje-
nje smisla. Ali, u svakom slučaju, neće biti gora od prošlosti.

Lea me je u taksiju dugo ispitivala o Karanu. Odgovarala
sam joj sa oprezom. Onda iznenada, kao da je ljubomorna što
pokušavam da zadržim za sebe tog genija, poče da se žali na
kvalitet izvođenja:

„Svirao je slabo“, reče.

Odmah zatim dodade: ostao je nekako nedovršen; nije
umeo da uznapreduje po kvalitetu; veliki talenat protraćen
zahvaljujući ličnim nesigurnostima; umetnik osrednjeg kali-
bra zbog preteranog opreza. Pre nego što se pozdravismo, kad
smo bile ispred moje zgrade, iznenada promeni temu, poče
da mi govori o doktoru Moreliju. Beše mu odnela svoju mač-
ku, a on se silno raspitivao o meni, jesam li dobro, jesam li
prevazišla traumu rastave od muža.

„Rekao mi je da ti prenesem“, povika za mnom dok sam
otvarala ulazna vrata zgrade, „da je porazmislio, da više nije
siguran da je Ota ubio strihnin, da su podaci koje si mu dala
nedovoljni, da treba još da porazgovarate.“

Nasmeja se ironično kroz prozorčić na taksiju koji je polazio.
„Osećam da je u pitanju običan izgovor, Olga, samo želi da te vidi!"

Naravno, nisam ponovo otišla veterinaru, iako je u pitanju bio prijatan, pouzdan čovek. Plašila sam se nepromišljenih seksualnih susreta, gadili su mi se. A osim toga, nisam više želela da saznam da li je Ota ubio strihnin ili nešto drugo. Pas beše propao kroz rupu u mreži događaja tog dana. Ostavljamo za sobom tolike procepe izazvane nehajem, kad sabiramo uzrok i posledice. Ono što je sada bilo važno, bilo je da kanap i čvor koji me sada drže izdrže.

## 43.

Nakon te večeri bila sam primorana da se danima borim s pojačanim nezadovoljstvom moje dece. Prebacivali su mi to što sam ih ostavila s neznancima, što i sama provodim vreme s drugim neznancima. Optuživali su me grubo, bez ljubavi, bez nežnosti.

„Zaboravila si da mi spakuješ četkicu za zube", žalila se Ilarija.

„Prehladio sam se zato što su im radijatori bili ugašeni", prebacivao mi je Đani.

„Naterali su me da na silu jedem tunjevinu pa sam se ispovraćala", kenjkala je devojčica.

Do dolaska vikenda, bila sam uzrok svih njihovih nedaća. Đani me je posmatrao sa ironijom – da li je od mene video taj pogled? Od Marija? Ili ga je možda preslikao s Karle? Prepuštajući se namračenom ćutanju, Ilarija je vriskala za svaku sitnicu, vrištala je, bacakala se po podu, grizla me je, šutirala me je zbog sitnih nezadovoljstava: zbog umišljene bolesti, što je malo pocepala stranicu svog stripa, zato što ima talasastu kosu umesto ravne, i za to sam ja bila kriva, moja je bila takva, otac joj je imao lepu kosu.

Puštala sam ih da rade šta hoće, znala sam i za gore. Osim toga, činilo mi se da su ironija, tišina i dreka njihov možda dogovoren način da se izbore sa strahom i da ga opravdaju. Jedino me je bilo strah da će komšije pozvati policiju.

Jednog jutra spremali smo se da izađemo, kasnili su u školu a ja na posao. Ilarija je bila nervozna, nezadovoljna svim i svačim, žalila se na cipele, iste one koje je nosila već mesec dana i koje joj sad iz vedra neba više nisu odgovarale. Pruži se u suzama po podu i poče da šutira ulazna vrata koja samo što bejah zatvorila. Plakala je i vrištala, tvrdila je da je bole noge, da ne može da ide u školu u tom stanju. Ja je upitah gde je boli bez iskrene brige ali strpljivo; Đani je neprekidno ponavljao kroz smeh: odseci onda prste, tako će ti stopalo biti manje pa će ti cipela dobro pristajati, ja sam siktala: prekini, tišina, hajdemo, već kasnimo.

U izvesnom trenutku začu se okretanje ključa u bravi na spratu ispod našeg i Karanov pospan glas:

„Treba li vam pomoć?“

Poželeh da se zemlja otvori i da me proguta, zacrveneh se kao da me je uhvatio u ko zna kakvom sramnom činu. Stavih ruku Ilariji na usta i stisnuh je čvrsto. Drugom rukom joj dadoh znak da ustane. Devojčica smesta zaćuta, zapanjena promenom u mom ponašanju. Đani me je posmatrao ispitivački, ja pročistih grlo, potrudih se da mi glas zazvuči prirodno:

„Ne treba", rekoh, „hvala, i oprosti."

„Ukoliko mogu nešto da učinim..."

„Sve je u redu, ništa se ne brini, hvala još jednom, na svemu."

Đani pokuša da vikne:

„Zdravo, Aldo!", ali mu ja snažno privih nos i usta uz svoj kaput.

Vrata se diskretno zatvoriše, sa žaljenjem postadoh svesna činjenice da mi Karano sad uliva strahopoštovanje, da se ustručavam pred njim. Iako sam dobro znala šta od njega mogu da očekujem, nisam više verovala u to što sam znala. U mojim očima čovek sa sprata ispod mog beše postao čuvar neke svoje misteriozne moći koju je prikrivao zbog skromnosti, ljubaznosti, zbog dobrog vaspitanja.

## 44.

Čitavo jutro sam se mučila da se usredsredim na posao. Mora da je čistačica preterala sa upotrebom neke tečnosti za čišćenje, u kancelariji se osećao snažan miris sapuna i trešanja, koji je zbog vreline radijatora postajao kiseo. Trudila sam se da brzo završim neku prepisku na nemačkom ali uzalud, bila sam primorana da otvaram rečnik svaki čas. U jednom trenutku, iznenada začuh muški glas iz sale za prijem klijenata. Glas je do mene stizao sasvim jasno, pun hladne ozlojeđenosti zbog debelo plaćenih usluga koje su se u inostranstvu pokazale sasvim neadekvatnim. Pa ipak, slušala sam ga kao da dolazi s velike razdaljine, ne iz salona na par metara od moje kancelarije, već iz nekog skrivenog kutka mog uma. Bio je to Mariov glas.

Odškrinuh vrata, pogledah napolje. Videh ga kako sedi za jednim radnim stolom, ispred velikog šarenog postera Barselone. Pored njega je sedela Karla, učini mi se elegantnijom, starijom, kao da beše malo dobila na kilaži, ne lepom. Posmatrala sam ih oboje kao da gledam televiziju, telenovelu u kojoj neki meni poznati glumci igraju scenu iz mog života. Mario mi je delovao kao neznanac koji pukom igrom slučaja blago podseća na neku osobu koju sam nekada davno veoma dobro poznavala. Kosu beše začešljao na nov način, frizura mu je isticala veliko čelo, bujnu kosu i obrve. Lice kao da mu beše omršavilo, nos, usta i jagodice delovali su mu izraženije, učiniše mi se prijatnijim nego što sam ih pamtila. Delovao je deset godina mlađe, kukovi, grudni koš i stomak behu izgubili staru nabreklost, kao da beše dobio i na visini.

Glavom kao da mi nešto sevnu, blago ali odlučno, osetih da su mi ruke znojave. Pa ipak, to osećanje bilo je iznenađujuće prijatno, kao kad osećaj bola u nama izazovu kakva knjiga ili film, a ne život. Obratih se koleginici koja je razgovarala s njima, bile smo prijateljice, upitah je smirenim glasom:

„Postoji li kakav problem s gospodinom i gospođicom?"

I Karla i Mario se naglo okrenuše. Karla čak poskoči na noge, vidno uplašena. Mario, međutim, ostade u istom položaju,

samo palcem i kažiprstom pipnu nosnu pregradu, to je uvek
činio kad je bio uznemiren. Potrudih se da zazvučim izrazito
veselo, rekoh:

„Baš mi je milo što vas vidim."

Koraknuh ka njemu, Karla mahinalno pruži ruku kako bi
ga povukla ka sebi, kako bi ga zaštitila. Moj muž se nesigurno
pridiže sa stolice, bilo je jasno da ne zna šta da očekuje. Pru-
žih mu ruku, poljubismo se u obraz.

„Baš lepo izgledate", nastavih, stegnuh i Karlinu ruku, ali
mi ona ne uzvrati stiskom, tromo mi pruži prste i dlan, koji
me podsetiše na vlažan, tek odleđen komad mesa.

„I ti lepo izgledaš", reče Mario zbunjenim glasom.

„Da", odgovorih s ponosom, „prošao me je bol."

„Hteo sam da ti telefoniram, da porazgovaramo o deci."

„Broj je i dalje onaj stari."

„Trebalo bi da porazgovaramo i o razvodu."

„Kad god želiš."

Ne znajući šta više da kaže, nervozno gurnu ruke u džepove
kaputa, upita me rasejano ima li kakvih novosti. Odgovorih:

„Nema ih mnogo. Deca mora da su ti sve rekla: prošla sam
kroz težak period, Oto je uginuo."

„Uginuo?", trgnu se.

Kako su samo tajanstvena deca. Prećutali su mu Otovu
smrt, možda kako ga ne bi rastužili, možda zato što su vero-
vali da ga se ništa u vezi sa starim životom više ne tiče.

„Otrovan je", rekoh mu, a on me besno upita:

„Ko ga je otrovao?"

„Ti", odgovorih mirno.

„Ja?"

„Ti. Otkrila sam da si neučtiv čovek. Svet na neučtivost od-
govara pakošću."

Posmatrao me je kao da pokušava da shvati da li je privid
ljubaznosti iščezao, nameravam li opet da mu priredim ka-
kvu scenu. Pokušah da ga razuverim, nastavih ravnodušnim
glasom:

„Ili je možda samo bio potreban žrtveni jarac. Pošto sam se
ja izvukla, nastradao je Oto."

Na te reči omače mi se mahinalan pokret, skinuh mu tru-
nku peruti s kaputa, bila je to stara navika. On ustuknu pred
mojim pokretom, maltene poskoči unazad, ja se izvinih, Kar-
la se umeša da završi ono što ja bejah započela.

Pozdravismo se nakon što mi reče da će me pozvati da ugo-
vorimo viđenje.

„Ukoliko želiš, možeš i ti da dođeš", predložih Karli.

Mario odgovori odsečno, i ne pogledavši je:

„Ne."

## 45.

Dva dana kasnije, došao je kući ruku punih poklona. Na
moje iznenađenje, Đani i Ilarija se sa ocem pozdraviše kraj-
nje nonšalantno, bez oduševljenja, mora da je zbog ustalje-
nog viđanja vikendima povratio uobičajenu ulogu oca. Raspa-
kovaše smesta poklone, pokazaše da su im se svideli, Mario
pokuša da se umeša u njihovu igru ali bez mnogo uspeha.

Naposletku stade kružiti stanom, prelazio je vrhovima prstiju po poznatim predmetima, zagleda se kroz prozor. Upitah ga:
„Želiš li kafu?"

Smesta pristade, pođe za mnom u kuhinju. Zapričasmo se o deci, rekoh mu da prolaze kroz težak period, on se silno začudi, stade me uveravati da su kod njega uvek dobri, da ga u svemu slušaju. U izvesnom trenutku izvadi iz džepa papir i olovku, stade praviti raspored, kojim danima će se on starati o deci, kojim danima ću se o njima starati ja, reče da mu to što ih viđa striktno svakog vikenda deluje pogrešno.

„Nadam se da ti je novac koji ti šaljem dovoljan", reče u jednom trenutku.

„Jeste", rekoh mu, „velikodušan si."

„Ja ću se postarati za razvod."

Odlučih se da mu nešto pojasnim:

„Ukoliko otkrijem da decu prepuštaš Karli kako bi se bavio sopstvenim poslovima i da se ne staraš o njima, više ih nećeš videti."

Zagleda se u papir smušeno, nesiguran.

„Nema razloga da se brineš, Karla ima brojne kvalitete."

„Ne sumnjam u to, ali bilo bi mi draže da Ilarija ne nauči da se prenemaže poput nje. Ne želim ni da Đani počne da čezne za tim da joj gurne ruke u grudnjak, kao što se desilo s tobom."

Spusti olovku na sto, reče skrušeno:

„Znao sam, ništa te nije prošlo."

Osmehnuh se stihnutih usana, potom odvratih:

„Sve me je prošlo."

Pogleda u pod, zatim u tavanicu, osetih da je nezadovoljan. Naslonih se u naslon stolice. Stolica na kojoj je sedeo on nije imala naslon, bila je prislonjena uz žuti kuhinjski zid. Primetih mu na usnama nemi osmeh kakav nikad pre ne bejah videla na njegovom licu. Lepo mu je stajao, pružao mu je izgled simpatičnog čoveka koji hoće da pokaže da mu je sve jasno.

„Šta misliš o meni?", upita me.

„Ništa. Samo sam iznenađena onim što sam o tebi čula od drugih."

„Šta si to čula?"

„Da si oportunista i prevrtljivac."

Osmeh mu skliznu s lica, reče hladno:

„Oni što to pričaju nisu ništa bolji od mene."

„Ne interesuje me kakvi su oni. Želim samo da znam kakav si ti, i da li si oduvek bio takav."

Ne objasnih mu da želim sasvim da ga izbrišem iz svog tela, da skinem sa sebe i tu njegovu stranu koju, zbog privrženosti ili saučesništva, nikada nisam uspela da sagledam. Prećutah mu da želim da sprečim da me njegov glas, njegov način izražavanja i ophođenja, njegovi pogledi na svet uvuku u svoj vrtlog. Želela sam da opet budem ja, ukoliko je ta formula i dalje imala ikakvog smisla. Ili da makar sagledam šta od mene preostaje kad ga uklonim iz sebe.

Odgovori mi naizgled setno:

„Kakav sam, kakav nisam, to ni sam ne znam."

Potom mi tromo pokaza Otovu činiju koja je i dalje napuštena stajala u jednom uglu, pored frižidera.

„Želim da poklonim deci novog psa."

Odmahnuh glavom, osetih Otovo prisustvo u stanu, začuh bat njegovih šapa po podu, njihovo lupkanje. Stisnuh šake, protrljah ih jednu o drugu, laganim pokretom, kao da pokušavam da zbrišem s dlanova osećaj fizičkog bola.

„Ne mogu da podnesem zamene."

Te večeri, nakon Mariovog odlaska, uzeh nanovo da iščitam stranice na kojima Ana Karenjina korača ka smrti, prelistah one koje su govorile o slomljenim ženama. Čitajući, osetih da sam van opasnosti, da više nisam poput gospođa o kojima govore te stranice, nisu mi više delovale kao vrtlog koji bi me mogao usisati. Postadoh svesna toga da sam uspela da sahranim i uspomenu na napuštenu ženu iz svog napolitanskog detinjstva, da njeno srce više ne kuca u mojim grudima, da naše povezanosti beše nestalo. Sirotica za mene beše postala poput crno-bele slike, ovekovečenog delića prošlosti, bez krvi.

## 46.

I moja deca iznenada počeše da se menjaju. Iako su i dalje bili neljubazni jedno prema drugom, uvek spremni na svađu, malo-pomalo prestadoše da budu ljuti na mene.

„Tata je hteo da nam kupi novog psa, ali Karla nije dala", reče mi Đani jedne večeri.

„Kupićeš ga kad budeš živeo sam", pokušah da ga utešim.

„Jesi li ti volela Ota?", upita me.

„Nisam", odgovorih, „dok je bio živ nisam."

Iznenađivala me je iskrena smirenost s kojom sam uspevala da odgovorim na sva njihova pitanja. Hoće li tata i Karla imati dece? Hoće li Karla ostaviti tatu i naći nekog mlađeg? Znaš li da on ulazi u kupatilo da piški dok se ona kupa? Slušala sam, raspravljala, objašnjavala, ponekad mi je čak polazilo za rukom da se nasmejem.

Ubrzo stekoh naviku i da se viđam s Mariom, da mu prenosim svakodnevne sitnice, da se žalim ukoliko je kasnio sa slanjem novca. U izvesnom trenutku počeh da primećujem da se njegovo telo ponovo menja. Poče da sedi, popuniše mu se obrazi, kukovi, stomak i grudni koš ponovo otežaše. Ponekad je pokušavao da pusti brkove, ponekad je puštao i bradu, ponekad se brižljivo brijao.

Jedne večeri pojavi se nenajavljen, delovao mi je depresivno, želeo je da razgovaramo.

„Moram da ti kažem nešto ružno“, reče mi.

„Reci.“

„Đani mi je antipatičan, Ilarija mi ide na živce.“

„I ja se ponekad tako osećam.“

„Osećam se dobro samo kad nisu sa mnom.“

„Da, ponekad je tako.“

„Pokvariće mi se odnos s Karlom ako nastavim ovako često da se viđam s njima.“

„Moguće je.“

„Jesi li ti dobro?“

„Jesam.“

„Jel’ istina da me više ne voliš?“

„Jeste.“

„Zašto? Zato što sam te lagao? Zato što sam te ostavio? Zato što sam te uvredio?“

„Ne. Baš onda kada sam se osetila prevarenom, napuštenom i poniženom volela sam te iz sveg srca, želela sam te više nego ikad tokom čitavog našeg zajedničkog života.“

„Zašto onda?“

„Ne volim te više zato što si, kako bi se opravdao, rekao da si pao u stanje rastrojstva, nervnog rastrojstva, a to nije bila istina.“

„Bila je.“

„Nije. Sad znam šta je nervno rastrojstvo i šta se događa kad ne možeš da isplivaš na površinu. Ti to ne znaš. Ti si možda bacio pogled nadole, uplašio si se onog što si video, i zapušio si rupu Karlinim telom.“

Licem mu prođe nezadovoljna grimasa, reče mi:

„Deca moraju više vremena da provode kod tebe. Karla je umorna, mora da sprema ispite, ne može i o njima da se stara, majka si im ti, a ne ona.“

Pažljivo sam ga posmatrala. Ništa u vezi s njim više me nije doticalo. Nije više bio ni delić moje prošlosti, bio je obična mrlja, poput otiska ruke ostavljenog na zidu pre mnogo godina.

## 47.

Tri dana kasnije, vrativši se kući s posla, na otiraču, umotan u parče *skoteks* toalet-papira, primetih nekakav sitan predmet koji se pomučih da identifikujem. Bio je to još jedan Karanov

poklon, bejah se navikla na te njegove tihe ljubaznosti: u sko-
rije vreme beše mi ostavio jedno izgubljeno dugme i češljić
za kosu do kog mi je bilo veoma stalo. Postade mi jasno da se
ovoga puta radi o njegovom poslednjem poklonu. Bilo je to
belo dugme za raspršivanje spreja.

Sedoh u dnevnu sobu, stan mi je delovao prazno kao da u
njemu nikad nije bilo drugog prisustva osim lutaka od preso-
vane hartije i odeće na ofingerima. Potom ustadoh, pođoh ka
ostavi da uzmem bocu spreja kojom mora da se Oto igrao to-
kom noći kojoj je usledio onaj strašan avgustovski dan. Potra-
žih tragove njegovih zuba, pređoh prstima preko ulubljenja
kako bih ih osetila. Pokušah da namestim raspršivač na bocu.
Kada mi se učinilo da sam u tome uspela pritisnuh ga ali ne
izađe sprej, osetih samo slab miris insekticida.

Deca su bila kod Marija i Karle, trebalo je kod njih da osta-
nu još dva dana. Istuširah se, pažljivo se našminkah, obukoh
jednu haljinu koja mi je lepo stajala i pođoh da pokucam na
Karanova vrata.

Osetih kako me posmatra kroz špijunku, dugo; pomislih
kako sigurno pokušava da smiri lupanje srca, da izbriše s lica
uzbuđenje koje je u njemu probudila moja neočekivana po-
seta. U ovome se krije suština postojanja, pomislih, u nale-
tu radosti, u trzaju bola, u neočekivanim zadovoljstvima, u
pulsiranju vena, nema veće istine od te. Kako bih ga još više
uzbudila, odlučih da pokažem nestrpljenje, pritisnuh još jed-
nom zvonce.

Karano otvori vrata, bio je raščupan, neuredne odeće, kaiš
na pantalonama bio mu je raskopčan. Povuče nadole crnu

duksericu, namesti je tako da mu prekriva struk. Videvši ga takvog, pomučih se da sebe ubedim da je u stanju da stvara onako umilne tople note, da priredi onako harmonično zadovoljstvo.

Pomenuh njegov poslednji poklon, zahvalih mu se na ostalima. On odmahnu rukom, reče da je pronašao taj raspršivač u gepeku svog automobila, i da je pomislio kako bi mi mogao biti od koristi da sredim svoja osećanja.

„Mora da je bio u Otovim šapama, u dlaci ili možda čak u čeljusti", reče.

Pomislih sa zahvalnošću kako se tih meseci neupadljivo trudio da oko mene stvori osećaj sigurnosti. Sada beše stigao na red njegov najvelikodušniji čin. Želeo je da mi pokaže da nema razloga da nastavim da se plašim, da sve što se događa ima neki smisao, neke svoje dobre ili loše razloge, sve u svemu, da je vreme da se vratim životu. Tim poklonom želeo je da skine krivicu sa sebe i sa mene, da pripiše Otovu smrt slučajnoj vučjakovoj noćnoj igri.

Odlučih da ga u tome podržim. Zahvaljujući tom svom oscilovanju između tužnog bledunjavog muškarca i virtuoza koji stvara muziku punu svetlosti, koja je u stanju da ti ispuni grudi i da u tebi probudi volju za životom, u tom trenutku mi se učini da je baš on osoba koja mi je potrebna. Sumnjala sam, naravno, da je to dugme za raspršivanje ispalo s moje boce insekticida, da ga je zaista našao u gepeku svog automobila. Pa ipak, namera s kojom mi ga je ponudio činila je da se osetim lepršavo poput privlačne senke iza zamagljenog stakla.

Osmehnuh mu se, približih usne njegovima, poljubih ga.

„Je l' bilo mnogo teško?", upita me s nelagodom.

„Jeste."

„Šta ti se dogodilo te noći?"

„Imala sam preteranu reakciju koja je urušila površinu stvari."

„A zatim?"

„Zatim sam pala."

„I gde si završila?"

„Nigde. Nije bilo dubine, nije bilo provalije. Nije bilo ničega."

Zagrli me, zadrža me neko vreme privijenu uz sebe, ne reče ništa. Želeo je da mi tom tišinom prenese da on ume, zahvaljujući nekom svom misterioznom daru, da osnaži čula, da probudi osećaj ispunjenosti i radost. Napravih se kao da sam mu poverovala, i zato smo se tokom dana i meseci koji su usledili voleli dugo i spokojno.